MW00787994

·Manual de estimulación temprana·

María Teresa Arango de Narváez • Eloísa Infante de Ospina • María Elena López de Bernal

·Manual de estimulación temprana·

·Ser Madre Hoy·

(13 a 24 meses)

Ediciones Gamma

Dirección editorial	Clara Isabel Cardona M.
Asistente de Dirección	Maria Fernanda Peña Ch.
Ilustración	Stella Cardozo
Corrección de textos	Cesar Tulio Puerta Torres
Artes	Grupo Editorial 87

Calle 85 No. 18-32 Piso 5
Bogotá, Colombia.
Décima segunda edición, febrero de 2008.
ISBN:958-9308-19-8

Impresión D´vinni S.A.

A los niños que a través de sus infinitas expresiones hacen cobrar vida a su imaginación y fantasía.

Las autoras

Contenido

Advertencia 9
Introducción 11
Indicaciones generales 15
Primer período (13 a 18 meses) 19
Mes trece 23
Mes catorce 35
Mes quince 47
Mes dieciséis 61
Mes diecisiete 72
Mes dieciocho 84
Segundo período (19 a 24 meses) 94
Mes diecinueve 99
Mes veinte 110
Mes veintiuno 121
Mes veintidós 133
Mes veintitrés 146
Mes veinticuatro 157
Tercer año de vida 169
Felicitaciones 173
Glosario 174
Bibliografía 176

Advertencia

La información contenida en este manual constituye únicamente una guía aproximada del desarrollo integral del niño de 13 a 24 meses. Por lo tanto, en ningún momento es un parámetro para juzgar o evaluar en forma definitiva, positiva o negativamente, a tu hijo.

El niño es un ser integral cuyo desarrollo afectivo, cognoscitivo y comportamental forman un todo. La división en áreas en el presente manual obedece solamente a criterios metodológicos, que faciliten a los padres la comprensión y estimulación de ese maravilloso mundo del infante.

Introducción

Nuestra experiencia en investigación sobre *estimulación temprana* comenzó con niños entre 0 y 12 meses, y continuó con el trabajo directo con éstos para culminar con la elaboración de un manual dirigido a las madres con el fin de ayudar y orientar en la hermosa y gratificante labor de la *estimulación temprana.*

Toda esta invaluable experiencia que comenzamos no se podía interrumpir al cumplir el primer año, por lo tanto decidimos elaborar este segundo manual que comprende de los 13 a los 24 meses y constituye una valiosa guía para estimular el desarrollo del niño en esta etapa.

En el primer volumen de *Estimulación temprana* se define la estimulación como un proceso natu- ral, que la madre en un comienzo y luego todos aquellos miembros que forman el núcleo familiar (padre, abuelos, hermanos, tíos, etc.) ponen en práctica en su relación diaria con el niño, ya que la estimulación gira alrededor de lo más grato y tierno: el niño.

En el primer año de vida de tu bebé te habrás dado cuenta de que no es un ser pasivo, sino que es un ser increíblemente dinámico, único e irrepetible que está ansioso por ver, tocar, oír, sentir y explorar su mundo. Tu actitud ante él, por lo tanto, era imposible que fuera pasiva, fue con seguridad la de estar totalmente disponible y dispuesta a ayudarle a explorar y saciar su curiosidad, brindarle todas las experiencias y oportunidades de aprender y desarrollarse.

Indudablemente que la mejor forma de expresar esta intención es por medio del juego, éste te permite establecer una relación de acercamiento y amor con él, pues es el modo natural como el niño adquiere conocimientos y la manera como mejor establece un vínculo afectivo contigo. Esto, a su vez, facilitará el máximo desarrollo de sus potencialidades tanto físicas como intelectuales.

El trabajo de estimulación que llevamos a cabo tanto en el primer manual como en el segundo, tiene como objetivo el desenvolvimiento pleno de las potencialidades, mas no adelantar períodos de desarrollo para que el niño alcance más rápidamente otra etapa. También se tiene en cuenta que la estimulación debe adaptarse a la realidad de cada niño, de tal manera que responda a su propio ritmo de desarrollo, sin forzársele a hacer ejercicios que no son propios de su edad. Se le enseña todo lo que el mundo le ofrece, pero teniendo presente que sólo en un momento determinado es cuando él puede entender, aprender y practicar lo que le estás enseñando.

En el transcurso de este segundo año de vida encontrarás que el niño evolucionará de una forma no tan vertiginosa como en sus primeros meses de vida, pero sí se producirán unos cambios bastante significativos, ya que pasará de dar sus primeros y vacilantes pasos, a caminar con estabilidad y luego a correr; de agarrar dos objetos con sus manos y en un principio golpearlos uno contra otro hasta lograr encajarlos entre sí; de no diferenciar entre objetos similares hasta llegar a reconocerlos separadamente y llamarlos por su nombre, o poder imitar una acción sin que la persona que la haya realizado se encuentre presente; pasa de sus balbuceos sin sentido a formar frases con dos palabras o más; el ser capaz de reconocer las emociones de alegría, frustración, rabia, etc.; el paso de los pañales a tener control de sus esfínteres y avisarte cuando necesita ir al baño y en algunos casos, dentro de pocos meses, hará su entrada a una guardería o a un jardín infantil.

Interactuando con tu niño desarrollarás muchas virtudes, entre ellas la paciencia que tanto se necesitará especialmente en este segundo año. Por ejemplo, poco a poco aprenderás a esperar a que juegue largo rato con el agua, abra y cierre mil veces un cajón, meta y saque de una caja un objeto en forma repetitiva, y todo esto seguramente "yo solito".

Desde mediados del primer año, a medida que avanza su desarrollo motor (sentarse, gatear, caminar, correr, brincar, etc.), has podido darte cuenta de cómo también avanza su deseo de explorar y aprender. Cuando el bebé inmóvil descubre que caminando llega donde quiere, un mundo nuevo se abre para él. Es el incansable "explorador" que no quiere dejar un rincón sin investigar. Ya no es el bebé que atendía sentadito a un estímulo que se le brindaba. El quiere personal y activamente tocar, coger, oler, golpear, meter, sacar, etc. Es por medio de sus vivencias personales como interioriza nuevos conocimientos y avanza en su desarrollo físico, mental y emocional; es el agente activo en el proceso de aprendizaje. Tener como herramientas tu instinto maternal, tu voluntad y este manual, te facilitará apoyarlo, motivarlo y proporcionarle oportunidades de avanzar en esta nueva etapa de su vida.

Indicaciones generales

El presente *Manual de estimulación temprana-Ser madre hoy*, obedece a las necesidades de los padres de seguir obteniendo un mayor conocimiento acerca del desarrollo evolutivo del niño de 13 a 24 meses y de las diferentes posibilidades existentes de estimulación temprana que le permitan incrementar las habilidades y potencialidades del niño, teniendo como marco de referencia la relación amorosa que estreche día tras día el vínculo entre los padres y el niño, haciendo más placentera y gratificante su labor educativa.

Los conocimientos aquí transmitidos son el resultado de una exhaustiva investigación que combina una completa revisión teórica con conclusiones dadas por la práctica psicológica durante años con niños entre 13 y 24 meses. El manual se encuentra estructurado de la siguiente manera: se expone primero una *Introducción general* referente al período comprendido entre los meses 13 y 18, y entre los meses 19 a 24, luego las *Características de desarrollo* correspondientes a áreas como el lenguaje, la inteligencia, la motricidad, la socialización, etcétera, mes por mes.

Esta descripción del desarrollo integral del niño tiene por objetivo mostrar todos los cambios que suceden en este maravilloso proceso evolutivo durante el segundo año de vida; de esta manera podrás seguir participando más activamente en él y proporcionar los elementos necesarios para satisfacer las necesidades fisiológicas, sociales y psicológicas del niño.

Así mismo te servirá como una escala aproximada para observar y evaluar los progresos del niño.

Inmediatamente después encontrarás un aparte denominado *Intervención general*, que tiene como objeto dar algunas pautas que apoyen el desarrollo concreto del programa de estimulación.

Aparece enseguida la *Estimulación directa*, que contiene una serie de ejercicios y juegos sencillos y eficaces que promueven, entre otras cosas, el aprendizaje rápido, un acercamiento amoroso, la coordinación del movimiento muscular y el aumento del tiempo de concentración del niño.

Al finalizar cada mes habrá un *cuadro-resumen*, donde estarán las características más importantes correspondientes a esa etapa. Recuerda que su aparición varía de acuerdo con el ritmo propio de cada niño; por lo tanto, no debes preocuparte si en algún momento tu hijo no se ajusta a las características descritas aquí.

Encontrarás también algunas sugerencias de juguetes correspondientes a cada mes. Estos te servirán para llevar a cabo algunos ejercicios de estimulación. Igualmente anexamos un cuadro de *programación de las sesiones de estimulación* día tras día, durante una semana (lunes a sábado). Es importante que tengas en cuenta que para las tres semanas restantes del mes, los ejercicios podrán variarse de acuerdo con las necesidades propias del niño, teniendo en cuenta que generalmente debes empezar por los más sencillos hasta llegar a los más complejos.

La intensidad de cada ejercicio dependerá de varios aspectos, que debes tener siempre presentes: del ritmo propio del niño, de que él haya comprendido la acción y de lo atractivos e interesantes que le resulten los ejercicios.

En el tema denominado *Estimulación directa* vas a encontrar algunos ejercicios iguales o parecidos a los de los meses anteriores. Esto se debe a que algunas áreas requieren refuerzo adicional hasta alcanzar su máximo desarrollo. Por otra parte, cada mes tiene su área crítica, por ejemplo, a finales del mes catorce el desarrollo socioafectivo cobra especial importancia (por la creciente independencia que el niño comienza a adquirir), en relación con las otras áreas; por lo tanto, la estimulación se orientará principalmente en esta dirección.

Los ejercicios están enumerados de acuerdo con el orden en que se encuentran en la parte correspondiente a *Estimulación directa*; a ella deberás remitirte al consultar el cuadro.

Esta organización permite que a medida que el niño vaya creciendo encuentres la información relativa tanto a las características de desarrollo de cada uno de los meses como a la estimulación correspondiente. Por último queremos darte cierta información, que consideramos pertinente, ya que cubre algunos aspectos que te permitirán la utilización óptima de este manual:

—Si por razones de trabajo no puedes permanecer mucho tiempo al lado del niño y, por lo tanto, tienes que dejarlo bajo los cuidados de alguna otra persona, te recomendamos compartas con ella este programa de estimulación temprana. Así, tanto tú como ella estarán llevando a cabo el mismo plan de ejercicios con el niño. Para esto puedes utilizar el cuadro denominado registro, en el que podrán consignar conjuntamente toda la información referente a los avances en el desarrollo del niño.

—Te sugerimos que distribuyas las actividades señaladas para el mes en diferentes momentos de rutina diaria como, por ejemplo, en la mañana después del desayuno (cuarenta y cinco minutos después), al atardecer y al anochecer.

—Es recomendable realizar los ejercicios con intervalos de tiempo considerable, que proporcionen al niño un descanso entre un ejercicio y otro, esto le permitirá interesarse y estar mejor dispuesto para uno nuevo.

—Recuerda que lo más importante es establecer una relación amorosa y positiva con el niño, ya que esta es la base para cualquier interacción que realices como madre.

—Igualmente, es importante reconocer la capacidad y oportunidad de atención del niño para lograr su recepción (recuerda que esta varía durante el transcurso del día). Aprende a identificar cuando el niño no se encuentra en condiciones para aprovechar la estimulación de manera adecuada.

—Utiliza la estimulación para motivar y tranquilizar, proporcionando entusiasmo en todas las sesiones, haciendo que se convierta en un momento agradable. Sé generosa con las palabras de afecto y las alabanzas.

—Convierte la música en tu mejor aliado. Es un gran motivante y desarrolla la creatividad.

—Procura mantener siempre el interés y atención de tu hijo en cada uno de los ejercicios. Para esto, hazlos llamativos por medio de diversas actividades como intercalar los ejercicios, cambiar los estímulos (por ejemplo, variar los juguetes) y acompañarlos con música, palabras afectuosas, etc.).

—La estimulación deberá convertirse en una rutina diaria. Aunque en el primer momento las respuestas del niño posiblemente no aparezcan de manera inmediata y explícita, verás que con el paso del tiempo el niño irá expresando y participando de una forma más activa en esta interacción. (Esto en caso de que sólo hasta este momento comiences a utilizar nuestro *Manual de estimulación temprana*).

—Las siguientes serán señales de que el niño no desea o no está dispuesto para una sesión: se encuentra somnoliento o dormido; los ejercicios se han convertido en un hábito y ya no le interesan; existen otros estímulos que en este momento le distraen; se encuentra enfermo; está rodeado de personas extrañas y fuera de su ambiente familiar; o se encuentra llorando.

Si has logrado establecer, durante el primer año, por medio de la puesta en práctica de nuestro manual *Estimulación temprana*, una buena relación y una rutina diaria de estimulación, sólo te resta continuar en ella con la realización de este segundo año del manual *Estimulación temprana*.

Pero si sólo hasta ahora consultas este manual, que de forma clara y precisa y de fácil entendimiento señala las diferentes técnicas que existen para lograr una adecuada *Estimulación temprana*, te sugerimos que establezcas una rutina diaria de ejercicios y de juegos con tu hijo, en la que participen el padre y los demás miembros que conforman el núcleo familiar. Sin duda alguna, lograrás llegar con grandes satisfacciones a las metas que día tras día te has propuesto para ti como madre y para tu hijo.

Primer Período
(13 a 18 meses)

Introducción

En el período comprendido entre el decimotercer y decimoctavo meses se llevan a cabo cuatro procesos fundamentales que deben ser estimulados y reforzados: el desarrollo del lenguaje, el desarrollo de la curiosidad, el desarrollo social, y el cultivo de la inteligencia.

En este lapso el niño llegará a adquirir un amplio lenguaje, incluyendo la capacidad de comprender y expresar varias palabras. Aunque balbucea y pronuncia palabras aisladas desde antes de cumplir su primer año y medio (cuando ya es capaz de unir varias palabras para formar una frase u oración). Una vez que el niño es capaz de comunicarse por medio de la palabra, surge una nueva etapa en su desarrollo emocional, reafirmando sus relaciones familiares y ampliando su espíritu de exploración y curiosidad para descubrir el medio a su alrededor.

Respecto de la curiosidad, ésta dependerá mucho de la estimulación que haya tenido el niño en esta área; si se ha estimulado durante los meses anteriores será amplia y sana. En algunos casos esta última puede encontrarse restringida y canalizada hacia un área especializada y podrá limitar su despliegue. Le ayudarás al niño en la medida que le permitas acceso a las distintas partes de la casa, procurando que pase bastante tiempo al aire libre y con una actitud innovadora y creativa por parte de los adultos ante sus juegos. Más adelante, en cada mes, encontrarás otras recomendaciones y aun ejercicios que te ayudarán a trabajar con el niño esta área.

Algunos comenzarán a interesarse mucho por los objetos materiales, pero muy poco por las personas. Otros estarán quizás muy absorbidos por su madre y mostrarán muy poco interés por el mundo físico, contrariamente a lo que le ocurría en el primer año. En esta área social el niño ya empieza a desarrollar un estilo social propio, el cual estará ya definido al finalizar los dos años.

Estos meses constituyen también la etapa del negativismo, es una etapa difícil para los padres debido a que el niño ya sabe lo que quiere, cómo lo quiere y todo lo quiere inmediatamente y a su manera. Como aún no se expresa con suficientes palabras, insiste en comunicarse e imponer sus necesidades a los mayores y lo hace por medio del llanto y de las famosas pataletas. Será necesario aprender a manejar estas situaciones e impedir las rabietas ya que, de lo contrario, el niño puede convertir a los padres en verdaderos esclavos de la voluntad de sus hijos.

El hecho de tornarse terco y obstinado puede deberse a que el ser humano necesita pasar de la dependencia total a una situación en la que pueda afrontar la realidad por sí mismo.

A pesar de que sus manifestaciones generan dificultades en su manejo, existen muchos aspectos gratificantes para los padres. Es la etapa en que los niños comienzan realmente a entablar conversaciones con los miembros de la familia. Esto resulta bastante agradable para los padres y sobre todo para los abuelos. El niño comienza a dejar de ser bebé para convertirse en una personita. Su personalidad va delineándose y el niño empieza a ser más previsible, aunque también más individualista.

El cuarto proceso al que hacemos referencia y podemos tratar también como meta educativa, es quizás el más importante: cultivar la inteligencia, enseñando a aprender. Es un área en la que se verán grandes progresos, aprenderá mucho sobre el mundo físico de los objetos, las reglas de la naturaleza, etc., y las normas sociales. Comenzarán a desarrollarse procesos de pensamiento tales como crear ideas, imágenes y combinaciones mentales, etcétera.

Si observamos el comportamiento de un niño de catorce meses por medio de sus actividades habituales, sólo pasa de 10 a 15% de su tiempo junto a su madre (o cualquier otra persona que este a cargo de él), el resto del tiempo lo emplea en perseguir objetivos no sociales; la actividad no social más corriente es la de mirar fijamente los objetos, las personas, o los acontecimientos.

Hay dos tipos de experiencias, Actividades exploratorias y Actividades de dominio de habilidades, que ocupan 20% del tiempo del niño cuando está despierto. En cuanto a las actividades exploratorias, que son generalmente más comunes a los 13, 14 y 15 meses que las de dominio, el niño pasa una buena parte del tiempo examinando las diversas características de cuanto objeto tenga a su alcance. Estos objetos incluyen desde juguetes hasta envoltorios de paquetes. Los niños ejercitan una serie de acciones con ellos, aparentemente para conocer todo cuanto puedan acerca de ellos en un tiempo relativamente breve. Los golpean contra distintas superficies, los arrojan, los dejan caer y observan y palpan el contorno de cada uno de ellos. Usan objetos para llenar y vaciar cajas. Los llevan a la boca y los mastican en parte para aliviar la sensibilidad de sus encías y en parte para explorarlos.

La segunda actividad de importancia que llevan a cabo con pequeños objetos es la de practicar con ellos habilidades simples. Algunas de ellas son dejar caer, arrojar objetos, mover hacia adelante y hacia atrás aquellas cosas que estén sostenidas por bisagras, abrir y cerrar cajones, colocar objetos relativamente inestables en posición vertical y luego empujarlos para que caigan, y después volverlos a colocar en su posición inicial; sacar objetos de una caja y de nuevo meterlos en ella; manipular mecanismos simples que se cierran y se abren; accionar perillas para encender la luz o cualquier otro mecanismo que tenga efectos visuales o acústicos.

El niño en esta etapa practica toda clase de destrezas con sus dedos, como por ejemplo la de hacer girar ruedas; también se interesan por los pedales de los triciclos, ya que les atrae muchísimo el movimiento de rotación. Las hojas de los libros y las revistas, en especial las de los libros con hojas rígidas, son objetos con los cuales a los niños les gusta practicar su habilidad digital; un mueble relativamente bajo pero levemente difícil de trepar, invita al niño de esta edad a trepar para luego bajar en forma cuidadosa y repetir la operación varias veces.

El desarrollo motor es otro gran centro de interés del niño en esta etapa. Está alcanzando lo que muchos psiquiatras llaman la "primera independencia física". Es decir, su actividad motora es más controlada (puede quitarse un zapato, recoger objetos, etcétera) y sus músculos están más desarrollados y fuertes, por lo que puede hasta mover de lugar objetos de su alrededor.

Mes Trece

Características de desarrollo

Desarrollo motor

Esta etapa como la anterior, continúa caracterizada por un mayor aumento de la movilidad del niño, que le permite desplazarse con mucha mayor agilidad en su ambiente, incrementando así el desarrollo motor.

Se acerca cada vez más a sus primeros pasos sin apoyo, pero al igual que aprender a gatear llegará a caminar por etapas. Comenzará con mayor frecuencia a sostenerse de pie solo, sin ayuda del adulto, solicitando ésta únicamente cuando tenga que subir o bajar escalones. Se desplaza arrastrando los pies hacia los lados, dando un paso de lado y luego arrastrando el otro pie hasta encontrarse con el primero. Caminar exige grandes proezas de equilibrio y coordinación. Con la expresión de su rostro te dirá qué aventura es para él correr el riesgo de caminar solo. Es un gran avance para él poder caminar valiéndose solamente de sus pies y tener las manos libres para otras actividades. El 25% de los bebés de esta edad caminan ya, sin embargo, esta gran experiencia comienza para unos entre los 10 y 14 meses, mientras que para otros puede empezar a los nueve y demorarse hasta los 18.

Si aún no camina será capaz de mantenerse de pie solo por períodos cortos, caminar agarrado de alguien o apoyado de los muebles.

En general su actividad es ahora especialmente intensa, sube a los asientos, se pasa debajo de las mesas y se mete a explorar cuanto lugar le sea posible.

Será capaz de atravesar un cuarto de tamaño mediano sin caerse y en forma consistente. Cuando tiene prisa por llegar a algún sitio específico, gateará incorporándose sólo cuando ha llegado a su objetivo.

Ya lo encontrarás empujando, arrastrando, tirando y transportando algo en sus manos, lo cual le da la sensación de un mayor equilibrio. Golpeará dos objetos uno contra otro y será capaz de lanzar una pelota pero aún no sobre la cabeza.

Pone cubos en un recipiente y los saca de ellos, comienza a hacer torres, rueda juguetes, le atraen los aros y cuerdas al igual que colocar objetos pequeños en botellas. A estos nuevos caminantes les encanta cargar, botar y tumbar; llenar y vaciar; empujar y jalar; rasgar y arrancar; apilar y derribar; sintiendo que tiene conquistado y dominado el mundo. Está celebrando sus nuevas habilidades corporales.

Igualmente la motricidad fina se va perfeccionando, agarra objetos con facilidad y habilidad de pinza, intenta garabatear trazos finos y cortos en una hoja, pasa páginas gruesas, tira y levanta objetos, lo que significa que su coordinación perceptivomotora se aproxima cada vez más a la del adulto, pues los movimientos de aferrar, apretar, soltar y lanzar objetos se afinan. Cada vez más se desarrolla la habilidad de insertar. También intentará dirigir la cuchara a su boca, el cepillo a su pelo y el teléfono a su oído.

Desarrollo cognoscitivo

Estos meses constituyen un período crucial en el desarrollo cognoscitivo del niño, ya que es en esta etapa cuando "aprende a aprender". La técnica que utiliza para su aprendizaje es la imitación de la acción directa. Por ejemplo, si le enseñas cuál es el sonido que emite un perro o una vaca él lo imitará.

Busca los juguetes que no tiene a la vista. Repite respuestas a estímulos que ya conoce, por ejemplo cuando oye el timbre sabe que alguien llegó y se dirige hacia la puerta.

El niño también se encontrará en capacidad de entender y obedecer órdenes sencillas, como por ejemplo: "Muéstrame el sombrero; tira o agarra la pelota; trae el carro; entrégame el tenedor", etc. Al ejecutar estas órdenes ejercita su desarrollo motor, social y cognoscitivo a la vez, ya que al interactuar con otras personas y reconocer la denominación de dichos objetos está adquiriendo una mayor comprensión, expresión y dominio del lenguaje, aunque aún le costará trabajo y por lo tanto algo de tiempo, convertir en palabra todo lo que ve y comprende.

Pone a trabajar mucho sus primeras palabras, algunas de ellas inventadas por él mismo, y las llena de significado utilizándolas para indicar diferentes objetos con una sola de ellas. Por ejemplo, "tata" puede ser abuela, niña, puerta.

Dentro de sus juegos encontramos las actividades de desmontar y examinar en detalle los objetos, pasarlos de un envase a otro, abrir y cerrar las puertas y gavetas, en fin, explorar y repetir al máximo cada una de las actividades que realiza.

Durante este período se espera que aprenda a diferenciar entre lo correcto y lo incorrecto y que el mundo que habita es tanto de él como de quienes le rodean y por lo tanto habrá reglas que respetar.

Debido a que se encuentra en capacidad de realizar por sí solo muchas actividades es importante que le propicies espacio físico necesario que le permita al niño ensayar diversas acciones, las cuales le reforzarán su naciente autonomía.

Otro aspecto importante en esta etapa es la posibilidad de adelantarse a los acontecimientos. Por ejemplo, cuando ve que tomas tu cartera, supone inmediatamente que vas a salir. No hay que olvidar que el desarrollo de la capacidad de pensar está ligado a la madurez que alcancen los sentidos de la vista, el oído, el olfato, el gusto y el tacto. Por lo tanto, es importante que durante todo este tiempo continúes estimulando cada una de estas áreas.

Desarrollo del lenguaje

Su interés por caminar y explorar lo hacen olvidar un tanto del hablar, por esto el progreso en el lenguaje es un poco lento. Aunque a su vez esta capacidad para desplazarse y explorar le ayudan en el perfeccionamiento de la comprensión de este, permitiéndole solicitar algunas cosas por su nombre, como por ejemplo: agua, tete, papá, etc., y en las manifestaciones de acciones utilizará expresiones como "upa" y "más". Hay algunas palabras que comprende pero aún se le dificulta pronunciar como "toma", "dame", "muy bien", "adiós". Por lo general ya usa entre cinco a ocho palabras con bastante consistencia.

El hecho de que su lenguaje hablado no sea tan amplio, no quiere decir que no aprenderá en este mes palabras nuevas; te darás cuenta de que las palabras concretas son las primeras que aprende a decir y a manejar. Sin embargo, la mayor parte del tiempo emite sonidos sin sentido, los cuales se convierten en una jerga expresada a través de una especie de juego con palabras.

Una característica importante del lenguaje en general es que el significado de una palabra depende del contexto en que se emplea. Por ejemplo, el niño dice "nana", tú sabrás que lo que quiere decir es llegó Nana, quiero a Nana o esto es de Nana, porque tú conoces las circunstancias en que él utiliza esa palabra. Esta comprensión de significados en una palabra es típica de los primeros intentos de adquisición del lenguaje.

Desarrollo visual

Comienza a desarrollar a más largo plazo su memoria visual. Por ejemplo, si llega a un lugar en el cual ha estado antes, sabrá a donde dirigirse para encontrar los juguetes u objetos con los cuales se divirtió la vez pasada.

Tiene para él atracción visual un objeto a dos metros.

Desarrollo auditivo

Localiza directamente la fuente de un sonido fuerte, y los suaves a un metro de distancia que se encuentren a los lados y hacia abajo.

Desarrollo socio-afectivo

Aquí se inicia un importante momento en la socialización del niño por medio del juego con los miembros de su familia y otras personas. Estas tienen un papel clave, ya que gracias a ellos (abuelos, tíos, hermanos, primos, etc.) el niño podrá integrarse a los nuevos núcleos sociales.

El juego es entonces una actividad en la cual el niño aprende, explora, madura, se relaciona con las demás personas y se enfrenta con sus emociones, las cuales aparecen confundidas, aunque en un nivel simple, y se manifiestan como las de un adolescente: enfado, frustración y rebelión. Querrán hacer todo por ellos mismos, pero descubren al mismo tiempo que necesitan ayuda, ya que si no pueden alimentarse o vestirse por sí mismos, entrarán en una "remolineante furia". Sus lágrimas serán inconsolables. Tal situación puede verse como una adolescencia previa.

Esta etapa es ante todo exploratoria y muchas veces lleva una alta frecuencia de "noes"; ante estos eventos es importante ofrecer alternativas y otras oportunidades atractivas para que el niño no asocie la idea de explorar con prohibición.

Intenta imitar con su voz una melodía musical que le guste. Un niño ruidoso y comunicativo es un niño feliz, por ello usará un tono de voz alto para llamar tu atención. Responde a las situaciones placenteras a través de sus primeras palabras. Hace uso de personas y objetos para lograr sus deseos, por ejemplo jalándolos o por medio de gestos o palabras. Recuerda las secuencias de acciones y las distintas maneras de comportarse la gente.

En esta época el niño podrá permanecer más tiempo solo, lo cual podrá permitir que por las mañanas al despertarse juegue un tiempo antes de llamarte.

Intervención general

El niño se mantiene en movimiento permanente siendo muy exigente consigo mismo; para él lo más importante es alcanzar lo que se encuentra más alto, haciendo caso omiso de cualquier obstáculo que se imponga en su camino, por lo tanto adecua el medio para que el niño pueda moverse y jugar libremente sin peligros y, a la vez, obtenga seguridad en sí mismo y pueda desarrollar su autonomía y capacidades. Algunas veces puede jugar espontáneamente, pero disfrutará más cuando lo hace contigo: cuando giras la pelota para que él vaya tras ella o cuando corres detrás de él mientras la persigue.

Hacia finales del primer año, el peso del nacimiento del bebé estará cerca de haberse triplicado, pero ahora que su crecimiento es lento, igual será su apetito. La inmensa actividad desplegada en esta etapa también puede originar un descenso en su apetito. No trates de forzarlo a comer todo lo que le des. Ellos comerán lo que necesitan, quizás cinco pequeñas comidas o sólo dos en el día. Permite que pruebe nuevos alimentos cogiéndolos él mismo con sus manos. Los siguientes son algunos trucos para la alimentación en los niños de esta edad: pon los vegetales en tu plato y no en el de él, ellos querrán que tú los tengas. Acompaña los vegetales con una salsa de yogur, esta textura cremosa los hará apetecibles. Permítele ingerir comida que pueda ir cogiendo él mismo mientras que tú vas tratando de darle los otros alimentos. No esperes que se siente por una hora mientras tú tomas tu comida.

En cuanto a su higiene bucal enséñalo a comer frutas en vez de dulces y cepíllale los dientes antes de acostarse y si es posible después que ingiera alimentos.

Continúa durmiendo alrededor de catorce horas al día. Trata de que no realice juegos muy emocionantes ni antes de la cena, ni antes de irse a la cama, ya que éstos lo dejarán inquieto y excitado impidiéndole comer o dormir tranquilamente.

Si tienes un ritual para acostarlo continúa con él y hazlo preferiblemente a una misma hora.

Nunca lo amenaces ni castigues con la cuna, le causará miedo y será difícil que se duerma en el momento que corresponde.

Es posible que comiencen a presentarse los llamados "terrores o miedos nocturnos", esto hará que el niño presente problemas a la hora de dormir o despertarse asustado a media noche. Te recomendamos que lo tranquilices, lo acompañes por un momento y no lo metas a la fuerza a la cama. Procura no pasarlo a tu cama; en caso de ser necesario, acompáñalo en su cama hasta que se duerma.

En la adquisición del lenguaje es de vital importancia que las personas con las cuales él permanece le permitan participar en conversaciones acerca de su ambiente inmediato y de lo que en él sucede; le hagan comentarios sobre las cosas que él ve u oye y sus sentimientos con respecto a ellas; de igual forma le nombren las cosas que atraen su atención.

Es importante que los padres y aun las personas que cuidan al niño, tengan un mismo enfoque en cuanto a su educación. De esta manera podrán orientar mejor su desarrollo. Si en alguna situación no están de acuerdo, no lo discutan en presencia de él.

Sus juguetes se han convertido en las herramientas para aprender, por lo tanto provéelo de juguetes que le faciliten caminar, empujar, jalar, transportar o esconder. También de aquellos que le ayuden a desarrollar su creatividad, mediante los cuales pueda construir, pintar y formar. Estos deben permanecer limpios, lávalos diariamente con agua y jabón, al igual que sus manos.

Estimulación directa

Estimulación motriz

Si el niño aún no camina, trabaja con él en los ejercicios que encontrarás a continuación; si, por el contrario, ya lo hace, no significa que el desarrollo de la marcha haya terminado, pues ésta se seguirá perfeccionando hasta la edad adulta, aun durante esta. Incluso en esta edad tan temprana es importante para tu hijo que aprenda a andar por cualquier clase de terreno y en todas las condiciones.

1. OBJETIVO: estimular la actividad de caminar con apoyo.

a) Juega con el niño para ayudarlo a caminar alrededor de la silla, de la mesa, de la cuna.

b) Colócate en el extremo contrario de donde se encuentra el niño y ofrécele algo muy atractivo para que venga por él.

c) Coloca al niño agarrado del borde de una silla o una caja, y jálala lentamente para que el niño camine agarrado de él.

d) Ubica al niño de cara a ti sobre tus pies, da pasos hacia atrás, mientras lo sostienes por los brazos.(Ilustración No. 1).

e) Colócale un pañal debajo de los brazos sosteniéndolo por las puntas, ejerce presión sobre su espalda e impúlsalo a dar un paso hacia adelante, al tiempo que le ofreces seguridad y confianza. (Ilustración No. 2).

2. OBJETIVO: estimular la acción de desplazamiento y equilibrio.

a) Coloca tres o cuatro asientos en fila, más o menos a una distancia de 50 centímetros entre uno y otro. Pon sobre el primer asiento un juguete atractivo para el niño y anímalo a jugar con él. Después de un tiempo pasa el juguete al segundo asiento y estimúlalo a ir en su búsqueda, luego pásalo al tercer asiento y haz lo mismo. Permanece cerca del niño para darle seguridad; si se muestra temeroso, ofrécele la mano y ayúdale un poco. A medida que el niño aumente su seguridad, coloca los asientos cada vez más retirados y realiza varias veces la misma actividad.

b) Sitúa al niño junto a un mueble en el que pueda apoyarse y llámalo para que venga hacia ti. Ve aumentando gradualmente la distancia entre los dos. Haz a un lado todo aquello con lo que pueda golpearse o hacerse daño.

Ilustración No. 1

Ilustración No. 2

c) Lanza objetos atractivos hacia diferentes sitios a una corta distancia, haz que el niño los observe y se dirija hacia ellos caminando sin ayuda.
d) Coloca una tela que atraviese la cuna de lado a lado, invita al niño a que se agarre de la tela y se pare.
e) Pon objetos a diferentes alturas en algún lugar, motiva al niño a que de pie trate de alcanzarlos.

3. OBJETIVO: reforzar el desplazamiento y sentado por sí solo.
a) Coloca una silla baja, de diez a quince centímetros, frente a una mesa pequeña. Sitúa al niño junto a la silla de modo que pueda apoyarse sobre la mesa con ambas manos. Dile que se siente. El niño dará unos pasos de lado y se meterá entre la silla y la mesa, sentándose con las manos todavía apoyadas en esta.

4. OBJETIVO: enseñarle a caminar sobre una superficie desigual.
a) Después que el niño ha aprendido a caminar con seguridad sobre el suelo liso de la casa, hazle moverse sobre uno menos ideal: un paseo por el parque o el pavimento. Ve aumentando paulatinamente las dificultades, dejándole que camine por el pasto, por la arena o por el camino de un bosque.

5. OBJETIVO: preparar al niño en la marcha de lado y hacia atrás.
a) Entrégale un juguete dotado de ruedas fijas y que produzca sonidos al echarlo a rodar. Indícale la forma como si él camina y va jalando el juguete éste sonará, al principio le resultará difícil ya que sólo sabrá caminar hacia adelante; pero con la ayuda de este juguete aprenderá a caminar mi-

rando sobre los hombros y caminar hacia atrás. Repítelo tan frecuentemente como puedas.

6. OBJETIVO: facilitar la manipulación de objetos.
a) Ofrécele al niño en un recipiente objetos variados, para que él los pase a otro recipiente. Cuando el niño tome cada objeto, dile su nombre y deja que lo manipule. Después pídele que lo coloque en el segundo recipiente. Utiliza objetos familiares y fáciles de encontrar como flores, papel, piedritas, fichas, cucharas, etc.
b) Ofrécele al niño un cono de cartón y una bola; anímalo a que introduzca la bola dentro del cono y luego trate de sacarla ya sea golpeando el cono, con un palo, con los dedos, etc.

7. OBJETIVO: perfeccionar movimientos adaptativos de las manos.
a) Permítele amasar plastilina y enséñale las diferentes formas como puede hacerlo, con toda la mano, con los dedos, etc.

8. OBJETIVO: desarrollar la coordinación perceptivo motora.
a) Muéstrale cómo pasar las páginas de una revista o libro, detente un momento en cada página, otras pásalas rápidamente, hazlo hacia atrás y hacia adelante. Déjalo solo pasando páginas.

Estimulación cognoscitiva

1. OBJETIVO: estimular la capacidad para adelantarse a los acontecimientos.
a) Coloca frente al niño tres tazas boca abajo, esconde unos granitos de cereal debajo de la primera taza e impúlsalo a que los descubra. Ahora, oculta el cereal en la segunda taza y anímalo a que lo descubra allí. Inicialmente el niño mirará hacia el primer lugar en donde escondiste el cereal. Ayúdalo a encontrar el lugar correcto. Repite lo mismo con la tercera taza y continúa jugando hasta que el niño busque el cereal en el sitio exacto.

2. OBJETIVO: ayudar a resolver problemas nuevos por medio de ensayo y error.
a) Ofrécele al niño tres o cuatro recipientes iguales en su forma, pero de diferentes tamaños, demuéstrale cómo encajarlos y desencajarlos y anímalo a que lo intente.

3. OBJETIVO: fortalecer la capacidad del niño como productor de acciones.
a) Muéstrale al niño cómo dar besos a una muñeca, cómo hacerla caminar, cómo alimentarla, etc., y haz que te imite en cada una de estas actividades.

4. OBJETIVO: desarrollar el concepto de ubicación espacial.
a) Déjalo llenar y vaciar frascos y cajas para reafirmar el concepto de que un objeto puede ser recipiente de otro. Otra forma de hacerlo también es permitiendo que el niño te ayude a recoger sus juguetes, y los apilen en un canasto. Muéstrale situaciones similares en la casa: la ropa de planchar en un canasto, las frutas en un frutero, etc.

5. OBJETIVO: estimular la comprensión de órdenes.
a) Dale al niño órdenes de este tipo: "Muéstrame tus ojos"; "Cierra tus ojos"; "Mírame"; "Dame la

mano"; "Abre la boca"; "Mueve la cabeza"; "Mueve las piernas". Poco a poco podrás darle órdenes más complejas tanto a nivel motor como cognitivo. Por ejemplo: "Párate", "Siéntate", "Acuéstate", "Aplaude", "Andrés, traéme por favor el libro", "Dile adiós a la abuelita", "Dale un beso a papá", etc.

b) Sentados en el piso, juega con el niño a la pelota haciendo pases y diciéndole "tírame; atrapa; toma la pelota".

6. OBJETIVO: reconocer semejanzas y diferencias.

a) Llena por pares tarros con fríjoles, arena, bolitas, etcétera, y muéstrale cómo cada par produce sonidos iguales, mientras que si los combinas dan sonidos diferentes.

Estimulación del lenguaje

1. OBJETIVO: estimular la modulación y vocalización.

a) Háblale al niño frente a un espejo tratando de que pueda observar con atención el movimiento de la boca.

2. OBJETIVO: ampliar la comprensión y emisión de palabras.

a) Cada vez que el niño te diga, por ejemplo, tata, utiliza el significado de esta palabra e introdúcela como parte de una conversación. Ejemplo: tu abuelita (tata) te trajo un regalo.

3. OBJETIVO: reforzar la comprensión de órdenes verbales.

a) Da al niño órdenes de una sola acción referidas a personas u objetos muy conocidos por él. Por ejemplo, pon una pelota en sus manos y dile, "dásela a papá", al mismo tiempo que señalas el lugar donde está la persona. Luego haz esto mismo sin ayuda de ningún gesto, únicamente con la señal verbal.

Estimulación visual

1. OBJETIVO: estimular su memoria visual.

a) Enséñale a reconocer personas u objetos familiares fuera de su ambiente cotidiano. Por ejemplo, si te encuentras con una persona que vieron hace pocos días dile al niño: "Mira, ella es María, ¿te acuerdas de ella? ¿Te acuerdas que estuvimos en su casa y te prestó un caballito de cola larga muy lindo con el que jugaste toda la tarde?". "Mira a don Pedro, es el señor de la tienda donde vamos y que siempre te regala dulces".

Estimulación socio-afectiva

1. OBJETIVO: favorecer el manejo de sus relaciones con los demás.

a) Permite que tu niño comparta una actividad con otros de su edad sin que tenga que compartir sus juguetes. Los niños jugarán separadamente, uno de ellos observará las actuaciones del otro e intentará imitarlo. En ocasiones querrá tomar el juguete de su compañero; permite que los niños traten de resolver su problema solos buscando favorecer una situación de entendimiento social que finalmente resulte en una experiencia placentera.

2. OBJETIVO: reforzar el establecimiento de vínculos sociales.
a) Permite que el niño hable, juegue, y conozca diferentes personas en diversas actividades.

3. OBJETIVO: ofrecer alternativas de exploración ayudándole a comprender el establecimiento de límites.
a) La curiosidad en esta etapa de la vida del niño es un factor de gran incidencia en su desarrollo, que aunque le indiques que algunas cosas no deben hacerse sus deseos de explorar lo llevarán a no acatar tu orden. En estos casos es importante que ofrezcas alternativas como llevar sus juguetes preferidos a lugares donde habrá cosas que el niño no pueda tocar. En ocasiones será necesario decir NO, no temas hacerlo de forma categórica, de esta manera el niño entenderá que habrá límites para respetar.

Programación Semanal de Estimulación ● Mes Trece

Días / *Areas de estimulación*	*Lunes*	*Martes*	*Miércoles*	*Jueves*	*Viernes*	*Sábado*
Estimulación motriz	1a; 2a; 4a	1b; 2b; 3a	1c; 2b; 5a; 8a	1d; 2c; 4a; 8a	2a; 3a; 6a	1e; 2e; 7a
Estimulación cognoscitiva	1a; 4a; 5a; 6a	2a; 5b	3a; 4a; 5a	2a; 5b	4a; 5a	1a; 6a
Estimulación del lenguaje	1a; 2a; 3a; según la oportunidad		1a		1a	
Estimulación socio-afectiva	1a; 2a; 3a; según la oportunidad					

Nota: Esta programación es sólo una guía, ya que muchos de estos ejercicios el niño los realizará espontáneamente en sus actividades diarias.
En esta programación aparecen ejercicios que se sugieren realices todos los días ya que corresponden a la estimulación de hábitos y rutina, que sólo pueden ser aprendidos mediante la repetición frecuente, los cuales aparecerán en el cuadro bajo la denominación "según la oportunidad".

Resumen del Mes Trece

Peso	*Medida*	*Desarrollo motor*	*Desarrollo cognoscitivo*	*Desarrollo del lenguaje*	*Desarrollo socio-afectivo*	*Juguetes*
Niño 10.5 kg. Niña 10 kg	77 cm 75 cm	Se sostiene de pie cada vez con más facilidad Puede caminar solo o prendido. Solicita ayuda para subir escaleras. Pone cubitos en un recipiente y los saca él. Agarra la cuchara y la crayola con fuerza. Su actividad es especialmente intensa: empuja, arrastra, transporta, jala.	Explora las cosas y sus alrededores; es la época del aprender a aprender, para esto utiliza la imitación. Tiene atracción visual por objetos a dos metros de distancia. Localiza directamente el origen de sonidos fuertes, e indirectamente los que se producen a los lados y abajo, con intensidad suave. Busca los objetos que no tiene a su vista. Se adelanta a los acontecimientos. Obedece órdenes sencillas, como: muéstrame tu cara; dame el carro.	Emite sus primeras palabras para nombrar personas, objetos o acciones. Entiende algunas palabras como: toma; dame; no; adiós; muy bien. Llena de significados sus primeras palabras: *tata* significará muñeca, hermana, abuelita. Usa tres o más palabras con bastante consistencia. Intenta imitar con su voz una melodía musical que le guste. Puede nombrar espontáneamente un objeto.	Integración al grupo familiar mediante su intensa actividad. El juego constituye un elemento fundamental ya que por medio de él explora, madura, aprende, se relaciona con el mundo. Hace uso de objetos y personas para lograr sus deseos, mediante gestos o palabras. Recuerda las secuencias de acciones y las distintas maneras de comportarse la gente. Quiere hacer todo por sí mismo, pero a la vez requiere apoyo, ayuda y afecto. Puede permanecer más tiempo solo.	Carro caminador. Sillas pequeñas. Cubos. Juguetes tina. Cajas de diferentes tamaños. Mesa pequeña. Juguete de ruedas. Papel. Fichas. Balón. Plastilina. Libros, revistas. Taza, cucharas. Juguetes para encajar. Muñecos. Frascos para enroscar y desenroscar. Espejo. Caja sorpresa que al apretar salte. Figuras geométricas. Crayolas.

Registro de Evaluación Mensual

Areas de desarrollo y estimulación \ *Semanas*	*Primera*	*Segunda*	*Tercera*	*Cuarta*
Desarrollo y estimulación motriz				
Desarrollo y estimulación cognoscitiva				
Desarrollo y estimulación del lenguaje				
Desarrollo y estimulación socio-afectiva				

Anotaciones para el próximo mes:

____

____

____

____

____

____

____

____

____

____

____

____

Mes Catorce

Características de desarrollo

***D**esarrollo motor*

En este mes el niño se dedicará a perfeccionar, como en los meses anteriores, los movimientos que ha venido desarrollando. La coordinación de sus movimientos será un poco más acertada. Notarás que piensa antes de llevar a cabo alguna actividad.

Si el niño camina por sí solo hace uno o dos meses, podrá, con ayuda, subir un escalón, sentarse en una silla baja, correr y empinarse para alcanzar un objeto, trepar por obstáculos pequeños. Será capaz de caminar sin sostén con piernas separadas. Al ir caminando podrá jalar un juguete por medio de una cuerda e intentar patear un balón. Comienza a ayudarse a vestir.

El descubrimiento que el pequeño realizó entre el quinto y el octavo mes con respecto a la coordinación entre la visión y la ejecución motriz es explotado ahora al máximo atrapando todo aquello que se ponga a su alcance, manipulando en cualquier dirección e inventando para cada objeto un diferente modo de manejo.

Saca objetos de frascos, trata de tapar y destapar, toma por sí solo una taza, agarra y lleva la cuchara a la boca con mayor coordinación, pero sin lograr llevarse los alimentos a la boca. Golpea con ella la mesa. Ensaya a peinarse. Pasará páginas gruesas y garabateará con mayor seguridad y coordinación. Podrá agarrar un objeto con una mano y pasársela a la otra para poder volver a tomar otro objeto y así tener uno en cada mano. Sólo hasta finales del mes logrará caminar con dos objetos, uno en cada mano.

Utiliza el dedo índice para introducirlo en los agujeros y otros objetos.

Empuja, traslada y golpea para conseguir lo que desea. Tira la pelota por encima de su cabeza, y es capaz de patearla si va caminando. Estos movimientos no son todavía del todo coordinados. Acostado sobre el piso y con sus pies sobre la pared, verás cómo los coloca de tal forma que pareciese que fuera a escalar la pared, dando pasos hacia arriba.

Si no ha caminado aún, notarás que ya está próximo a hacerlo, el niño necesitaba, seguramente, un tiempo más largo para conseguir una mayor seguridad en sus movimientos.

Desarrollo cognoscitivo

Es un área de especial desarrollo de sus habilidades y potencialidades. Señala todo lo que desea, y entiende cuando tú le preguntas por algún objeto que tenga cerca de él, sabe dónde se encuentran sus pertenencias aunque no las esté viendo, por lo que se deduce que su memoria ha aumentado considerablemente. Por otra parte, su período de atención aún es corto, pero encontrarás que constantemente está prestando gran interés hacia lo que está sucediendo a su alrededor, ante lo cual actúa espontáneamente. En general puede mantener la atención por uno o dos minutos mirando una figura si ésta es nombrada. Señala alguna parte de su cuerpo, cumple órdenes sencillas como "vamos a comer", "llama a papá", etc., lo que denota una mejor comprensión del lenguaje.

Su capacidad de asociación se ha incrementado, esto lo vemos, por ejemplo, en situaciones en las que en algún lugar familiar se dirige directamente hacia lo que desea de allí, o si pasa por algún sitio o ve personas conocidas hace gestos o "gracias" que generalmente realiza con y para ellos.

Desarrollo del lenguaje

En este período comenzarás a notar que el niño entiende o comprende un número relativamente grande de palabras simples y concretas, así como también acciones tales como "lánzame la pelota", "vamos a comer", etc., ante las cuales tiene reacciones específicas. Su vocabulario verbal no es muy extenso, mientras que su lenguaje gestual es más amplio, el cual utiliza para hacerse entender y conseguir lo que quiere.

En estos meses que se denominan de parloteo, trata de cantar y colocarle entonación a este, tal acción le permite descubrir que los objetos suelen denominarse con un sonido; en este sentido será capaz de identificar algunos animales por los sonidos que emiten. Seguirá aumentando su repertorio de palabras concretas, pero continuará balbuceando largamente. El NO sigue siendo su palabra favorita: ante cualquier pregunta responderá NO.

Desarrollo visual

El desarrollo del campo y memoria visual se ha ampliado, ya que no sólo puede tener presente lo que está mirando, sino también aquello de lo que se está hablando. Además podrá tomar objetos sin estar mirándolos, como por ejemplo el biberón.

Como decíamos anteriormente este es un mes en el que realmente lo que le interesa es encontrarse atento ante cualquier evento o suceso que se esté realizando a su alrededor. Le gusta mucho observar libros con ilustraciones grandes.

Desarrollo socio-afectivo

En esta etapa el niño comienza a mostrar más claramente una gran variedad de emociones, expresa sus celos, la ansiedad, el afecto; festeja con alegría algún hecho que le agrade, igualmente manifiesta rabia, muchas veces en forma de pataleta, cuando algo le desagrada. Reconoce con más certeza las emociones en las demás personas, por ejemplo sabe cuándo alguien está furioso o alegre; asimismo aprende que puede ejercer poder sobre los demás, en especial sobre la madre. En resumen, parece entender el estado psicológico y los sentimientos de terceras personas.

Utilizará otros procedimientos para ganarse a las personas, tales como "hacer ojitos" (mirar con gracia), realizar mímicas o gestos, en fin, sabe cómo llamar la atención y hacer reír a las personas conocidas y a veces a los extraños. Acepta separaciones por lapsos breves y continúa repitiendo actos que causan gracia en los otros.

Necesita tener cerca a sus seres queridos para compartir sus descubrimientos y a otros niños para compartir la alegría; aunque tenderá a expresar más su independencia mediante cierto comportamiento negativo, no querrá compartir sus juguetes o deseará especialmente el que tiene el otro niño. Esta contradicción se presenta como una ambivalencia expresada en querer y no querer, en ser independiente o ser dependiente.

Imita con algún acierto las tareas del hogar; limpiará, planchará, todo esto con afán de ser alabado.

El niño debe tener oportunidades para jugar con otros niños, tanto de su misma edad, como un poco mayorcitos. Esto facilita su desarrollo social. Su juego favorito seguirá siendo el escondite y la descripción en compañía de un adulto de eventos o láminas.

Su estado de ánimo tenderá a ser cordial y animado la mayor parte del tiempo, aunque podrá tener expresiones de mal genio cuando no logre conseguir inmediatamente lo que desea.

Sus paseos y caminatas se volverán más largas en duración ya que quiere explorar cada hoja, cada flor, en fin, está ansioso de conocer todo aquello que lo rodea.

Intervención general

Este período es decisivo en la formación de la imagen que va construyendo de sí mismo, por esto es importante resaltar más lo positivo que lo negativo, evitar hacer comparaciones con otros niños, mostrar interés en sus logros, alentarlo a nuevos intentos, en general ofrecer seguridad y apoyo.

Incidentes como encontrar al niño deshojando la mata que tienes en la sala, desenvolviendo todo el papel higiénico del rollo, volteando la caja de los cereales, echándose encima la tierra de las materas, etcétera, se repetirán con frecuencia en las casas habitadas por estos deliciosos diablillos que se encuentran en esta edad.

Lo que a los adultos nos parecen tonterías, para ellos son experiencias vitales que les ayudan a conocer el mundo que los rodea. Ahora que por fin pueden levantarse y dar los primeros pasos, tienen a su alcance los objetos que tanto ansiaron desde la cuna o el corral. Todo es nuevo y misterioso e invita a ser tocado, chupado o zarandeado. Y lo cierto es que con una sola vez no basta; los resultados son tan increíbles, que "las experiencias merecen ser repetidas". No hay que desesperarse. De nada servirá ponerte brava ya que todavía no comprenden del todo que han hecho mal, sin embargo, debes tratar de hacerle entender que son cosas que no se deben tocar o hacer, con el fin de ir imponiendo límites.

El niño comienza a prepararse para ser independiente, por eso es preciso supervisar constantemente sus actividades, pero con la precaución de no interferir en todas sus actuaciones, recuerda que necesita conocer los límites pero también disfrutar de libertad.

Es importante tener presente que el amor no está condicionado a las buenas acciones, así que no acostumbres a que únicamente la entrega de afecto corresponde al buen comportamiento de tu hijo. Por ejemplo, evita expresiones como "rompiste el florero, no te quiero".

En este mes se hace más frecuente la utilización del llanto para llamar la atención y muy probablemente hará pataletas para lograr lo que desea; la mejor forma para que esto no suceda es pasarlo por alto y manifestarle con firmeza que hasta tanto no se calme no lo escucharás.

En cuanto al desarrollo del lenguaje, contrario a lo que te recomendábamos en los primeros meses de edad, trata de no imitar ni reforzar los balbuceos del niño, ya que de esta manera le proporcionarás una forma de comunicación que es incompleta e incorrecta. Háblale de un modo claro y sencillo, pronunciando y vocalizando correctamente las palabras, ya que se encuentra en un período importante en cuanto al aprendizaje del lenguaje.

Su dieta también sufre cambios, aumenta el consumo de alimentos sólidos, lo cual le permite compartir los platos familiares y disfrutar los momentos de las comidas con su familia.

Estimulación directa

Estimulación motriz

1. OBJETIVO: estimular la marcha.

a) Ofrécele al niño un juguete de su interés y cuando trate de alcanzarlo, ve alejándolo poco a poco, para incitarlo a caminar hacia el juguete. Prémialo entregándole el juguete junto con un abrazo o beso.

b) Coloca en el piso una base de madera ancha (una tabla), pídele al niño que camine sobre ella hacia adelante, hacia atrás, hacia los lados. Si se le dificulta en un principio, ayúdalo y poco a poco vas dejando que lo haga solo. A medida que el niño adquiere dominio de la actividad, gradúa el ancho y el alto de la tabla.

2. OBJETIVO: andar sobre áreas desiguales.

Ilustración No. 3

a) Repite el ejercicio del mes anterior dejando que el niño camine descalzo sobre piedras o recebo, arena, o cualquier otro sitio limpio en el cual la superficie no sea totalmente plana o lisa. Este ejercicio además de fortalecer sus tobillos y ayudar a los niños que tienen el empeine insuficientemente desarrollado, estimula táctilmente el área de las plantas de los pies.

3. OBJETIVO: obtener equilibrio.

a) Cuando el niño este de pie, bota varios juguetes a sus pies y pídele que te los alcance uno por uno, para guardarlos en una bolsa o caja. Si el niño pierde el equilibrio, sóstenlo de una mano al principio y poco a poco ve dejándolo agacharse solo.(Ilustración No. 3).

b) Cuando el niño quiera agarrar un objeto o juguete, en lugar de dárselo en la mano, colócaselo en el piso cerca de sus pies y pídele que se agache y lo alcance.

4. OBJETIVO: patear una pelota. Mejorar la acción de desplazamiento y equilibrio.

a) Ofrécele al niño una bola liviana y anímalo para que la empuje con un pie y camine tras ella. Si aún se le dificulta caminar, lanza la bola cerca de sus pies para que la patee apoyado en un mueble o en otra persona.

5. OBJETIVO: entrenar para subir escaleras.

a) Coloca un juguete sobre el sofá y pon cojines o almohadas en el piso cerca de este. Pídele que suba sobre ellos para alcanzar el juguete.

b) Ayúdalo primero a subir escaleras gateando, tomando escalón por escalón y usando el gateo como patrón cruzado, o sea, cuando adelanta la mano derecha debe hacerlo al mismo tiempo con la pierna izquierda.(Ilustración No. 4).

c) Dibuja sobre los escalones huellas del tamaño del pie del niño, para que aprenda a pisar en estas mientras se agarra del pasamanos.

6. OBJETIVO: estimular el desarrollo de destrezas motrices.

a) Sube al niño en un taburete bajo situado junto a la puerta y cuida de que no se caiga al abrirla. Pronto se dará cuenta de que le es fácil abrir si agarra el picaporte por el extremo, no cerca de la base. Esto le permite adquirir experiencia en cuanto al principio de palanca. Si la manija es de dar vuelta, también estarás estimulándole el movimiento circular de muñeca.

Ilustración No. 4

7. OBJETIVO: estimular la destreza de abrir y cerrar.
a) Dale al niño una caja de cerillas vacía o algo similar y muéstrale cómo se abre y se cierra. Esta actividad de manipulación te dará la oportunidad de enseñarle a trabajar con ambas manos, cada una de las cuales hace una cosa distinta.

8. OBJETIVO: desarrollar destrezas de movimientos finos.
a) Invítalo a hacer garabatos.
b) Dale al niño papel y muéstrale cómo arrugarlo, enséñale como botarlo en una cesta de basura, y motívalo para que haga bolitas.

9. OBJETIVO: reforzar movimientos adaptativos de las manos.
a) Deja al alcance del niño objetos que puedan desarmarse, enseñándole mediante el juego cómo armarlos y desarmarlos.

Estimulación cognoscitiva

1. OBJETIVO: reconocer relación causa-efecto.
a) Ofrécele al niño un frasco atomizador lleno de agua y enséñale, cómo presionando el frasco, sale agua. Permítele lograr el resultado por sí mismo.
b) Facilítale al niño un radio para que lo prenda y lo apague, cambie de estación, baje y suba el volumen.
c) Ofrécele al niño varias tapas de refrescos para que descubra su efecto al lanzarlas, unas llegarán más lejos, otras más cerca, otras irán y se devolverán, etc. Gateando o caminando las debe recuperar y repetir la acción desde diferentes sitios: en el piso, sobre la cama, sobre la mesa.

2. OBJETIVO: incrementar la duración de los períodos de atención en el niño.
a) Sostén en tu mano un objeto pequeño y llamativo para el niño, logra que fije la atención en este objeto y luego pásalo a la otra mano, después le preguntas: "¿En qué mano la tengo?". Cuando el niño logre acertar, alábalo y entrégale el objeto.

3. OBJETIVO: identificación del esquema corporal.
a) Con cantos guíalo para que señale cada una de las partes del cuerpo relacionándolas unas con otras: "Toca tus ojos con las manos, ahora llévatelas a la cabeza"; etc.
b) Dile que repita el ejercicio anterior en otra persona.
c) Pídele que identifique figuras humanas en dibujos, láminas o fotografías.
d) Recorta una lámina en cada una de sus partes y ve preguntando a medida que se las muestras, para ayudarle a completar la figura. Este mismo ejercicio lo puedes variar con un rompecabezas de una figura humana y pidiéndole que la arme.
e) Acuesta al niño sobre un papel y dibuja el contorno de su cuerpo. A medida que lo vas dibujando le vas diciendo qué parte del cuerpo es. Luego invítalo para que raye contigo cada una de sus partes.

4. OBJETIVO: catalogar los objetos de acuerdo con sus características o utilidad.
a) Coloca sobre una mesa objetos que tengan que ver con el baño: una esponja, una toalla, jabón, etcétera. Nombra cada uno de estos objetos y

enséñale para qué sirven. Pídele después que te entregue el jabón, la toalla, la esponja, etc.

5. OBJETIVO: comprender la noción de ubicación espacial.
a) Dale juegos sencillos de armar. Rompecabezas, legos, carritos, etc.
b) Motívalo para que realice diversos juegos con los cubos o bloques. Puedes indicarle cómo ponerlos en posiciones diferentes: en línea curva, quebrada, en círculo.

Estimulación del lenguaje

1. OBJETIVO: favorecer la vocalización.
a) Ante un espejo abre exageradamente la boca y anima al niño para que te imite. Igualmente puedes fruncir los labios o llevar la lengua de un lado a otro.

2. OBJETIVO: estimular la imitación.
a) Produce sonidos diferentes con tu voz, como por ejemplo tarareo, voces de animales, etc., para que el niño los imite.

3. OBJETIVO: estimular la repetición de palabras.
Si lo has estimulado desde pequeño hablándole frecuentemente con calidez y llamando cada cosa por su nombre, podrás estimularlo diciéndole frases a manera de juego. "Me quieres; me adoras; ¿qué me das?". El niño dirá alguna palabra del juego, y más adelante te podrá completar la frase.

4. OBJETIVO: denominar las cosas por su nombre.
a) Muéstrale al niño las cosas que normalmente lo rodean y ve nombrándolas cada vez que el niño fije la atención en ellas.
b) Muéstrale sus libros y pídele que te nombre, así sea por sonidos (si son animales u objetos que emitan sonidos), los dibujos que le sean conocidos.
c) Incluye en las conversaciones cotidianas con el niño los nombres de las personas más familiares para él.
d) Cuando el niño te jale por la ropa o te llame la atención con gestos, trata de no atenderle hasta que lo exprese verbalmente, así no lo diga completa o correctamente.

5. OBJETIVO: reconocer diferentes sonidos.
a) Produce sonidos con diferentes instrumentos, motiva al niño para que identifique el instrumento que lo produjo, varía la secuencia y aumenta gradualmente la distancia entre el niño y el sonido.
b) Pon el niño de espaldas y emite dos sonidos débiles y uno fuerte para que el niño se voltee y reproduzca el esquema auditivo escuchado. Aumenta cada vez más la distancia.

Estimulación socio-afectiva

1. OBJETIVO: favorecer la participación en actividades sociales.
a) Cántale canciones infantiles acompañadas en lo posible de alguna acción, o haciéndolo que participe en una ronda con sus hermanitos o amigos.

2. OBJETIVO: estimular participación en tareas domésticas.

a) Estimúlalo a que colabore en algunas tareas domésticas como limpiar el polvo, recoger la ropa, etcétera. A todas las órdenes o mandados incluye las palabras "por favor" y "gracias".

3. OBJETIVO: estimular la observación activa del entorno.

a) Existen momentos en los cuales el niño desea observar activamente las labores cotidianas de su hogar, como por ejemplo, mamá cocinando, sacudiendo el polvo, papá afeitándose, ver caer las gotas de lluvia que ruedan sobre los vidrios, etcétera. Cuando veas que esto suceda, permítele que lo observe por un buen rato y hazle comentarios sencillos acerca de estas actividades.

4. OBJETIVO: enseñar a graduar la intensidad de los movimientos.

a) Sienta al niño sobre tus piernas y alcanza algún objeto preciado y cuidado por ti, permítele que lo toque, pero si es posible tú sosteniéndole la manito con la que está examinando el objeto, a la vez que le vas diciendo: "suave, con cariño, despacio". Esto repítelo con diferentes objetos y preferiblemente con aquellos que se encuentren siempre al alcance de él.

5. OBJETIVO: enseñar al niño a compartir.

a) Toma entre tus manos un objeto que al niño le llame la atención. Ofrecéselo y préstaselo a la vez que le vas diciendo "esto es mío, pero yo te lo presto". Repite este ejercicio, si es posible cada vez que notes que el niño no quiere compartir algo con alguien.

6. OBJETIVO: enseñar al niño normas de cortesía.

a) Aprovecha todas las situaciones de la vida diaria para aplicar las normas de cortesía: buenos días, buenas noches, gracias, permiso.

Programación Semanal de Estimulación ● Mes Catorce

Días / *Areas de estimulación*	*Lunes*	*Martes*	*Miércoles*	*Jueves*	*Viernes*	*Sábado*
Estimulación motriz	1a; 5b; 8a; 2a; 3b; según la oportunidad	1b; 3a; 4a; 5c; 9a	1a; 4a; 5a; 9a	1b; 5b; 7a; 8a	1a; 5a; 6a	7a; 5c; 7c
Estimulación cognoscitiva	1a; 2a; 3d; 4a; 5a	1b; 3a; 3e	1c; 1a; 2a; 3c; 3b; 5a	1b; 3a; 3d; 3b	1c; 3c; 4a	1a; 3b; 3e
Estimulación del lenguaje	1a; 2a; 3a; 4a; según la oportunidad	4b; 5b; 4c; según la oportunidad	1a; 2a	4b; 5b	5a	5a
Estimulación socio-afectiva	1a; 3a; 6a; según la oportunidad	2a; 4a	4a; 5a	2a; 5a	2a; 5a	4a

Nota: Esta programación es sólo una guía, ya que muchos de estos ejercicios el niño los realizará espontáneamente en sus actividades diarias.
En esta programación aparecen ejercicios que se sugieren realices todos los días ya que corresponden a la estimulación de hábitos y rutina, que sólo pueden ser aprendidos mediante la repetición frecuente, los cuales aparecerán en el cuadro bajo la denominación “según la oportunidad”.

Resumen del Mes Catorce

Peso	*Medida*	*Desarrollo motor*	*Desarrollo cognoscitivo*	*Desarrollo del lenguaje*	*Desarrollo socio-afectivo*	*Juguetes*
Niño 10.5 kg. Niña 10 kg	78 cm 76 cm	Sube escaleras tomado de la mano. Se van desarrollando los movimientos de agarrar y soltar. Toma solo la taza y agarra la cuchara para llevársela a la boca. Pasa un objeto de una mano a otra y agarra un segundo objeto para tener uno en cada mano. Tapa y destapa frascos. Es capaz de tirar la pelota por encima de la cabeza y patearla si va caminando.	Señala lo que desea. Entiende cuando se le pregunta por un objeto que tiene cerca. Aunque sus períodos de atención son más cortos, tiene gran interés en todo lo que le rodea. Si se lo piden, señala partes de su cuerpo. Cumple órdenes sencillas (vamos a comer, llama a papá). Se incrementa su capacidad de asociación (reconoce lugares y personas conocidas). Puede tener en cuenta no sólo lo que está mirando, sino también lo que está hablando.	Entiende un número relativamente grande de palabras simples y concretas, así como acciones; por ejemplo, dame la pelota; vamos a correr. Tiene un amplio vocabulario gestual que utiliza para hacerse entender y conseguir lo que quiere. NO, continúa siendo su palabra favorita.	Muestra una gran variedad de emociones, puede expresar celos, ansiedad, afecto. Es tímido frente a extraños, en su presencia se aferra a su madre. Aprende a ejercer poder sobre las personas; a veces utiliza pataletas. Necesita tener cerca a sus seres queridos, para compartir con ellos sus nuevas emociones. Acepta separaciones por lapsos breves. Su estado de ánimo tenderá a ser cordial y animado la mayor parte del tiempo, aunque puede tener explosiones.	Carro caminador. Areneras. Bolsas, cajas de diferentes tamaños. Balones. Escaleras. Sillas pequeñas. Papel. Juguetes de armar y desarmar. Frasco atomizador. Tapas. Canciones. Fotografías y láminas con figuras humanas. Esponja, jabón, toalla. Cubos. Bloques de madera. Instrumentos musicales. Taza y cuchara. Juguetes para apilar. Pequeños toboganes. Botones, cremalleras. Crayolas.

Registro de Evaluación Mensual

Semanas / *Areas de desarrollo y estimulación*	*Primera*	*Segunda*	*Tercera*	*Cuarta*
Desarrollo y estimulación motriz				
Desarrollo y estimulación cognoscitiva				
Desarrollo y estimulación del lenguaje				
Desarrollo y estimulación socio-afectiva				

Anotaciones para el próximo mes:

Mes Quince

Características de desarrollo

Desarrollo motor

En lo que tiene que ver con su motricidad gruesa, subir y bajar escalones continúa ejerciendo una atracción fascinante, sobre todo si se le permite realizarlo solo (1 ó 2 escalones), pero siempre bajo la supervisión de un adulto. Al caminar continúa mirando hacia el piso, pero ya dejan de ser frecuentes los golpes contra los muebles que se encuentran en su camino porque ha logrado un mejor equilibrio. Se puede agachar y volverse a poner derecho sin caerse. Sube escaleras gateando y puede bajarse de su cama.

Lleva con su cuerpo el ritmo al escuchar la música. Camina con frecuencia en puntillas, así no sea necesario empinarse para alcanzar algo.

La motricidad fina ha avanzado bastante, intentará, con botones y ojales grandes, abotonar y desabotonar, quitarse los zapatos, introducir objetos en recipientes de aberturas pequeñas, sus trazos con lápices o crayolas son ahora más firmes, abre y cierra recipientes y también toma solo de una taza y se lleva con seguridad la cuchara con algo de alimento a la boca. Continúa tomando un objeto en cada mano, no simultáneamente; prefiere soltar el que tenía agarrado primero para obtener un tercero.

Continúa empujando, arrastrando, trasladando y golpeando con mejor coordinación un mayor número de objetos.

Al lanzar y patear la pelota lo hará con movimientos más precisos y por lo tanto, tendrá un mayor alcance en su objetivo.

Desarrollo cognoscitivo

Quienes están en constante interacción con el niño observarán un gran adelanto en esta área. Su sentido de autonomía se acentúa y en algunos niños se notará más debido a su creciente independencia. Su noción de causa-efecto es más acertada, entendiendo entonces que sus deseos no son los que hacen que un objeto se mueva. Podrá ser capaz de realizar imitaciones diferidas (no tiene que estar el modelo al cual imita), por ello los juegos de imitación comienzan a formar parte de su vida cotidiana.

Continúa tratando de señalar una lámina en un libro si tú se lo pides, sigue fácilmente instrucciones, presta atención a todo aquello que pasa a su alrededor para ver qué le es posible imitar.

Los juegos de simulación son más frecuentes, cocinará y arrullará a los muñecos tal como ve hacerlo a su mamá o a otras personas.

Aprenderá a diferenciar los objetos entre sí y a encontrar similitudes entre los mismos. Su comprensión es verdaderamente amplia. Empieza a utilizar el SI. La adquisición del esquema corporal va en aumento, ya que podrá identificar tres o cuatro partes de su cuerpo y de los demás. Reconoce los desplazamientos visibles de los objetos, por ejemplo, sabe dónde caerá un avión de papel. Arma rompecabezas sencillos (más por la forma que por el contenido), y torres de tres y cuatro cubos.

Se interesa por saber cómo son las cosas, cómo suenan y qué puede hacer con ellas.

Desarrollo del lenguaje

En este mes se hace evidente su necesidad de expresarse verbalmente, ya que en el transcurso de los meses anteriores y en este mismo mes, ha venido acumulando una cantidad de experiencia que necesita transmitir.

Su comprensión del lenguaje es cada vez más amplia, tanto del lenguaje verbal como del no verbal, por ejemplo, entiende los gestos que la madre le hace de cariño, de desaprobación, etc., pero todavía continúa sin poseer una expresión verbal extensa, aunque ha ido añadiendo palabras nuevas a su vocabulario. Puede llegar a tener veinte palabras, no todas ellas pronunciadas correctamente. Sus balbuceos son cada vez más frecuentes y a esto le añade diferentes entonaciones y diversos timbres de voz.

Ya es capaz de solicitar agua cuando tiene sed, el tetero cuando quiere comida, y pedir que lo saquen de paseo. Si se le enseña te dirá cuándo ha hecho pipí. Reacciona ante las preguntas de "¿Dónde esta el tetero?", "¿Dónde esta el osito?", etc.

Desarrollo socio-afectivo

Como en las anteriores áreas, en esta también se verán cambios, sus expresiones de cariño son más frecuentes y más asertivas, las demostrará en el momento adecuado para sus deseos y necesidades. Su reconocimiento de las emociones le permite saber cuándo, cómo y dónde y ante quién puede expresar sus emociones fuertes.

La creciente independencia y su deseo de explorar todo su entorno, exigirán que tú le impongas un poco más de disciplina, ya que es importante señalar aquí que el no contrariarlo ni imponerle normas va desarrollando en él una personalidad laxa y poco fuerte.

Se ha convertido en una personita colaboradora, puedes pedirle que te acerque algún objeto y lo hará con gusto, continúa imitando las labores del hogar, también es capaz de beber solo de la taza o biberón. Te ayuda a desvestirse, levantando los brazos, ofreciendo el pie, jalando la media, etc.

Todas las actividades diarias como el baño, la comida, el cambio de pañales, las convierte en juego; si le dices que vas a cambiarlo sale corriendo para ver si lo alcanzas. Se festeja constantemente sus logros.

La música continúa siendo una gran compañía, llevará el ritmo con mayor propiedad. Sus actuaciones deferentes serán más repetitivas cuanto más audiencia encuentre.

Intervención general

Para todos los niños jugar es una necesidad vital. Aunque no tuviesen ni un solo juguete, e incluso aunque sus padres les prohibieran jugar, de alguna forma se las arreglarían, a pesar de todo, para hacerlo con ramas, con piedras, a escondidas, como fuese. Esto demuestra que para ellos el juego es algo muy serio, una actividad que los adultos debemos respetar y fomentar dándoles los juguetes adecuados. Es por medio del juego como nuestros hijos pueden desarrollar sus habilidades.

En este sentido, el juego infantil es casi un trabajo, pero un trabajo lleno de placer. A esta edad, entre los doce y los veinticuatro meses, el niño disfruta sobre todo del hecho de conseguir algo, de tener poder sobre los objetos. Igualmente, es un placer apilar un objeto sobre otro, encajar una figura en el hueco correspondiente, hacer andar un perrito jalando de una cuerda...todo ello es una hazaña magnífica para él.

Otro placer muy grande se lo causan las repeticiones. Una y otra vez construye la misma torre o acuesta la misma muñeca. Es la alegría de hacer lo mismo cada vez mejor, porque su creatividad le impone cada vez un ingrediente nuevo.

Ver televisión es otra actividad a la que actualmente los niños dedican gran parte de su tiempo. Casi todos los bebés encuentran la televisión fascinante a causa de las imágenes, los ruidos, los movimientos... Esto puede inducir a los padres a sentar al niño algún rato delante del televisor para obtener así un poco de tiempo, pero definitivamente no es muy buena niñera. Los estímulos inespecíficos que produce, sobrecargan el sistema nervioso del bebé, ya que para su sano desarrollo es importante que pueda relacionar los acontecimientos del exterior con su propio comportamiento. Necesita que le contesten cuando está hablando y le sonrían cuando él sonríe. Lo que la televisión le "contesta" no tiene nada que ver con las señales que emite el niño, lo que, a la larga, le produce inquietud. Sin embargo, es preciso aceptar que es un invitado permanente en nuestros hogares, pero que debe ser importante controlar su uso. Si en la casa ven varias horas de televisión al día, es de esperar que tu niño quiera hacerlo igual. Asimismo, si la televisión no constituye gran parte de la vida familiar, no lo será tampoco para el niño.

Cuando el niño esté presente viéndola, elige programas que no sean muy ruidosos, rápidos, complicados o que le atemoricen. Es importante explicarles lo que están viendo. A esta edad los niños no tienen interés en aprender nada de lo que ven en televisión, ni les importa qué tan bueno sea el programa si tú no estás allí para dar una mayor información. Si se cumple todo esto, podemos llegar a considerar la televisión como un medio estimulante al advertir que puede favorecer la adquisición del lenguaje y ampliar los conocimientos y percepciones del niño.

El área del lenguaje puedes reforzarla hablándole en forma sencilla y clara, de manera no muy elaborada, ni larga; trata de que siempre esté viendo tu cara cuando le converses; ayúdale a emitir sonidos nuevos hablándole siempre de cosas que pueda ver y que le agraden.

Otro aspecto importante tiene que ver con el control médico, pues éste puede producirle ansiedad y miedo. Sería prudente que tú, mediante el juego y contándole que es un amigo que lo ha visto desde que estaba muy chiquito, lo vayas familiarizando con esta situación.

Es la época propicia para comenzar a familiarizar al niño con el inodoro, ya que está en capacidad de avisarte cuando se encuentra mojado.

Si se presentan problemas a la hora de dormirse, tranquilízalo tratando de que en ningún momento se sienta solo, verás cómo el llanto se va volviendo más débil a medida que se siente acompañado y por lo tanto tranquilo.

Estimulación directa

Estimulación motriz

1. OBJETIVO: ejercitar el caminar en diferentes direcciones.

a) Dale al niño un carro, un tren u otro vehículo cualquiera de juguete que pueda jalar de una pita. Al hacerlo, irá mirándolo y a la vez caminará de para atrás y de lado. Puedes crear situaciones similares jugando a perseguirlo.

2. OBJETIVO: lograr un buen equilibrio en posición de pie.

a) Muéstrale cómo extender los brazos haciendo como un avión.

b) Colócate frente al niño e invítalo a que se agache en cuclillas y luego se levante. Repite este ejercicio hasta que el niño lo haga sin dificultad.

c) Muéstrale cómo camina un perro, un pato, un elefante, etc., y anímalo para que los imite.

d) Muéstrale láminas con animales parados en un solo pie, o sírvele tú de ejemplo para que los imite.(Ilustración No. 5).

e) Pídele que camine libremente al compás de la música, palmoteo, panderetas, etc.

3. OBJETIVO: caminar de prisa.

a) Toma al niño de la mano y juega con él a perseguir

a papá. El objetivo de esta persecución es enseñarle a andar de prisa.

4. OBJETIVO: reforzar la marcha con un objetivo específico.
a) Dale al niño la oportunidad de "hacer mandados" enviando con él objetos livianos a otra persona o pidiéndole que te alcance otros que estén cerca de él.

5. OBJETIVO: cargar y empujar objetos grandes.
a) Ofrécele un carro descubierto, fabricado con cajas de cartón y un buena cantidad de piedras, cubos, juguetes o similares. Anímalo a caminar carreteándolo.

6. OBJETIVO: estimular el movimiento fino de las manos.
a) Sobre una mesa coloca varias bolitas y muéstrale al niño cómo empujarlas y hacerlas rodar con un solo dedo, después pídele que haga lo mismo, pero cuando el niño impulse la bola con toda la mano regrésala al lugar inicial y solícitale que la empuje de nuevo indicándole cómo debe hacerlo.(Ilustración No. 6).
b) Muéstrale al niño un libro o cuaderno que tenga ilustraciones grandes y de colores fuertes y permítele pasar las hojas, aunque al principio pase muchas a la vez.
c) Enséñale al niño cómo se abre una botella con una tapa de rosca o un tarro con una tapa similar. Esto le servirá para practicar los movimientos de enroscado.(Ilustración No. 7).
d) Ata una cuerda, de unos 90 centímetros de largo, entre dos sillas. Dale algunas pinzas (de colgar ropa) y enséñale a ponerlas en la cuerda, abriéndolas y cerrándolas.

7. OBJETIVO: perfeccionar los movimientos adaptativos de las manos.
a) Sobre el papel, preferiblemente al aire libre, permite que el niño pinte con sus dedos, facilítale pinturas que no sean tóxicas.

Ilustración No. 5

b) Haz que el niño empuje y extienda las manos. Sírvele de modelo para que te imite.

c) Dale al niño un banco de descarga para que pueda martillar sobre él.

d) Cuando los vidrios estén empañados, pon al niño a que garabatee y dibuje sobre ellos.

8. OBJETIVO: estimular los movimientos adaptativos de los pies.

a) Sentada frente al niño, ambos con los pies descalzos y con las piernas extendidas, mover ambos pies y hacer, con ayuda en un principio, que el niño te imite.

Ilustración No. 6

Estimulación cognoscitiva

1. OBJETIVO: trabajar manualmente una imagen mental.

a) Ofrécele al niño bloques de madera, pueden ser de diferentes tamaños y formas, y anímalo a que construya figuras que tengan significado para él: torres, casas, carros, camiones, etc.

2. OBJETIVO: estimular actividades por imitación y tanteos.

a) Ofrécele al niño dos figuras redondas que se encuentran ubicadas en sus bases correspondientes, sácalas cuando el niño esté observando y anímalo para que las introduzca nuevamente en la base correspondiente.

b) Muéstrale al niño una figura redonda, insertada en un palo, saca la figura cuando el niño esté mirando y anímalo a que la encaje nuevamente dentro de éste.

3. OBJETIVO: estimular la atención y la memoria.

a) Ofrécele al niño un juguete envuelto en un papel

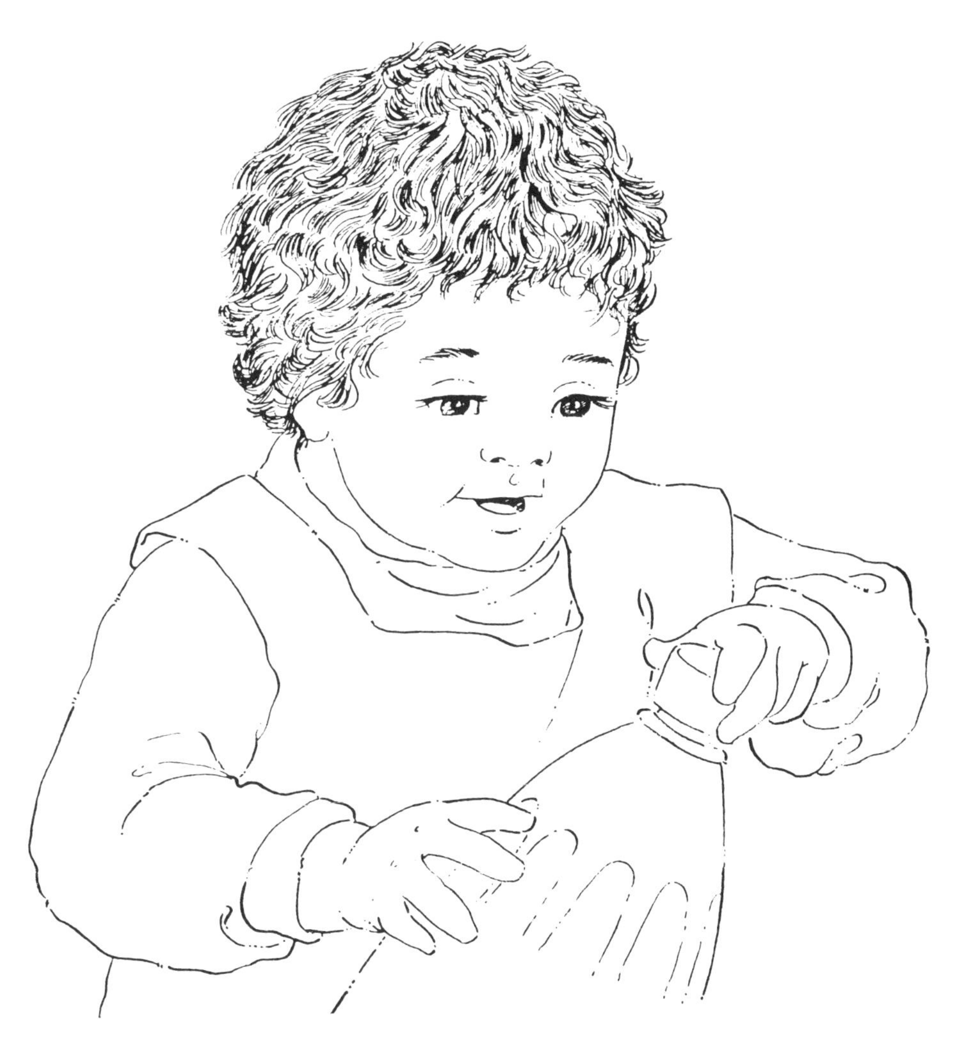

Ilustración No. 7

dentro de dos cajas (una dentro de la otra). Anímalo a que destape las cajas y descubra el juguete. Envuélvelo nuevamente en su presencia y mételo dentro de las cajas para que el niño lo encuentre de nuevo.(Ilustración No. 8).

4. OBJETIVO: estimular la creatividad.

a) Ofrécele al niño cajas vacías de cigarrillos y bloquecitos de madera pequeños y espera a que se imagine qué hacer con los elementos de que dispone.

Ilustración No. 8

5. OBJETIVO: estimular el reconocimiento de las partes del rostro.

a) En una revista, libro o láminas en que aparezcan figuras humanas, señálale al niño dónde están los ojos, la nariz, las orejas, al mismo tiempo que se las señales en tu cara. Pídele después que las señale por sí solo.

6. OBJETIVO: estimular la imaginación mediante el juego de simulación.

a) Motiva al niño a simular acciones y roles. Por ejemplo, dile que haga como un gato, que camine como un pato, que corra y ladre como un perro, que conduzca un carro y se desplace por diferentes sitios, imitando uno real.

7. OBJETIVO: desarrollar la noción de espacio.

a) Sobre una mesa inclinada deja rodar un carro, haz que el niño esté atento y repita esta misma acción. Motívalo para que lo haga con otros objetos.

b) Enséñale que al tirar un balón por debajo de la mesa, este puede llegar hasta el otro lado. Además que para recogerlo no es necesario que él vaya por debajo de la mesa, sino que debe dar la vuelta.

c) Cambia de sitio algunos muebles de la casa y haz que el niño lo note.

8. OBJETIVO: desarrollar habilidades de manejo espacial.

a) Pídele al niño que mire y señale hacia arriba. Solicítale el nombre de lo que ve arriba.

9. OBJETIVO: identificar las partes del cuerpo y su uso.

a) Enséñale para qué sirven cada una de las partes del cuerpo. Pídele que toque cada una y que identifique su uso. "¿Dónde está tu boca?, ¿para qué la usas? Para hablar, para comer. ¿Dónde están tus piernas? Con ellas caminamos. ¿Dónde están tus manos? Con ellas agarramos las cosas, dibujamos.¿Dónde están tus dientes? Con ellos masticamos", etc.

Estimulación del lenguaje

1. OBJETIVO: favorecer la modulación.

a) Enfrente del niño enciende una vela y luego apágala frunciendo extremadamente los labios diciendo "u,u,u". Estimúlalo para que te imite.

2. OBJETIVO: estimular la imitación de sonidos.

a) Haz sonidos de vocales exagerando el movimiento de la boca e invita al niño para que te imite. Cuando ya lo haga, vocaliza consonantes como la "p", "t", "d", y "b" uniéndolas a todas las vocales y estimula al niño para que las repita.

3. OBJETIVO: desestimular el uso de una sola palabra para expresar varias cosas (palabra puente).

a) Cuando el niño te diga "tete" para pedirte el biberón, o expresar también hambre o sed, dile: "Tú no quieres tete, tú lo que deseas es comer una galleta", etc., de esta manera le enseñarás que la palabra "tete" es diferente de la palabra comer.

4. OBJETIVO: manejar diferentes tonos de voz.

a) Pídele que hable en voz baja y en voz alta. Que aplauda fuertemente y vaya disminuyendo hasta lograr un aplauso débil. Que toque un instrumento débilmente y vaya aumentando hasta tocarlo fuertemente.

Estimulación socio-afectiva

1. OBJETIVO: estimular el movimiento del cuerpo ante estímulos sonoros.
a) Cántale al niño una canción infantil llevando el ritmo con las palmas, dile al niño que baile contigo y festeja sus resultados.
b) Repite el ejercicio anterior pero diciéndole al niño que sólo mueva una parte del cuerpo, luego la otra.

2. OBJETIVO: aceptar separarse de un objeto.
a) Pídele objetos al niño diciéndole "dame" y al mismo tiempo tomándolo. Cuando te lo dé, dile "gracias" y sonríele o dale un beso. Al ofrecerle seguridad al niño en todas sus actividades, el niño entregará los objetos con facilidad al solicitárselos.

3. OBJETIVO: asociar objetos con un momento o actividad determinada.
a) En el momento de la salida pregúntale "¿Dónde está tu suéter; tu gorro; tu chaqueta?". Poco a poco irá sabiendo que estas son las prendas que debe ponerse antes de salir.
b) Repite el ejercicio anterior en situaciones diferentes como, por ejemplo, en el momento de "la cambiada", muéstrale la crema, el pañal limpio, etcétera, dáselos para que te los tenga y luego pídeselos.

4. OBJETIVO: ayudar a que acepte los cambios de rutina.
a) Promueve que una misma actividad sea realizada en distintos momentos del día y en diferentes lugares de la casa. Por ejemplo, si siempre le lees un cuento antes de acostarse y en su cuarto, un día podrás hacerlo en la sala en horas de la tarde. Este cambio debes hacérselo saber con anterioridad. Este ejercicio lo debes realizar de vez en cuando y no con actividades que impliquen disciplina y hábitos como son hora y lugar de comida, de dormida, etc.

5. OBJETIVO: estimular el reconocimiento de sí mismo.
a) Pon al niño ante un espejo señalándolo y diciendo su nombre. A continuación di su nombre para que sea él quien lo señale. Repite este ejercicio, primero con fotografías donde se encuentre él solo y luego donde esté en compañía de dos personas más.

6. OBJETIVO: motivar al niño para vestirse por sí solo.
a) Cuando lo estés vistiendo, pídele que te ayude con las manos a colocarse ciertas prendas por sí solo. Dile, "mete la mano", "mete el pie".
b) Coloca al niño pulseras en las muñecas y enseñale a sacárselas, esto le ayudará a desarrollar destrezas para vestírse y desvestirse.
c) Enseña al niño los nombres de las prendas de vestir; ayúdalo a reconocer si están al revés o al derecho.

d) Ayúdalo a ponerse y quitarse los zapatos.

7. OBJETIVO: identificar los miembros de la familia y sus roles.

a) Haz que señale, por ejemplo, en una reunión familiar varios miembros de la familia, dile: "El es el tío Alberto"; "Ella es la prima Diana", etc.

b) Muéstrale con alguna frecuencia un álbum familiar, y pregúntale por cada uno.

8. OBJETIVO: promover la independencia en los hábitos alimentarios.

a) Enséñale a distinguir las tres comidas diarias, esto lo lograrás más fácil si estableces horarios. Igualmente anúnciale siempre la hora de comer (ahora vamos a desayunar...).

9. OBJETIVO: facilitar el aprendizaje de experiencias sensoriales.

a) Aprovecha el momento del baño para mostrarle algunas cosas: por ejemplo, que los objetos flotan, que se hunden, la succión necesaria para llenar un recipiente, el transvasar agua de un recipiente a otro. Permítele también chapotear, derramar, etc.

Programación Semanal de Estimulación • Mes Quince

Días / *Areas de estimulación*	*Lunes*	*Martes*	*Miércoles*	*Jueves*	*Viernes*	*Sábado*
Estimulación motriz	1a; 2a; 2e; 5a; 6d; 7a; 3a; 6c; 7d; según la oportunidad	1a; 2e; 4a; 6a; 7b; 8a	2a; 2d; 2e; 5a; 6d; 7c	1a; 2c; 4a; 7b; 6b; 7a	1a; 6a; 6b; 7c; 8a	2a; 4a; 7b;
Estimulación cognoscitiva	1a; 2a; 4a; 6a; 7b; 8a; 7c; 9a; según la oportunidad	2a; 4a; 6a; 8a	1a; 2a; 5a; 6a; 7b; 8a	2b; 3a; 7a	1a; 3a; 7a	2b; 5a
Estimulación del lenguaje	1a; 4a; 3a; según la oportunidad	2a; 4a	1a; 4a	2a	1a	2a
Estimulación socio-afectiva	1a; 2a; 6b; 6c; 6d; 8a; 9a; 3a; 3b; 4a; 6a; 7a; según la oportunidad	1b; 2a; 6c; 6d; 7b; 8a; 9b	1a; 2a; 6c; 6d; 8a; 9a	1b; 5a; 6c; 6d; 7b; 8a; 9a	1a; 5a; 6c; 6d; 8a; 9a	1b; 6b; 6c; 6d; 8a; 9a

Nota: Esta programación es sólo una guía, ya que muchos de estos ejercicios el niño los realizará espontáneamente en sus actividades diarias.
En esta programación aparecen ejercicios que se sugieren realices todos los días ya que corresponden a la estimulación de hábitos y rutina, que sólo pueden ser aprendidos mediante la repetición frecuente, los cuales aparecerán en el cuadro bajo la denominación "según la oportunidad".

Resumen del Mes Quince

Peso	*Medida*	*Desarrollo motor*	*Desarrollo cognoscitivo*	*Desarrollo del lenguaje*	*Desarrollo socio-afectivo*	*Juguetes*
Niño 11 kg. Niña 10 kg	80 cm 77 cm	Sube solo uno o dos escalones y baja tomado de la mano. Camina sin apoyo con amplia base (pasos levantando el pie excesivamente, pasos con desigual longitud y dirección). Puede agacharse y ponerse de pie sin ayuda. Intentará abotonar y desabotonar, así como quitar y poner zapatos. Se lleva la cuchara con algo de alimento a la boca. Lanza constantemente objetos al suelo.	Pide objetos señalándolos. Tiene una noción más acertada de causa-efecto. Es capaz de realizar imitación diferida (no tiene que estar presente el modelo al cual imita). Si se lo pides, busca y señala una lámina en un libro. Puede diferenciar los objetos entre sí, así como encontrar similitudes. Identifica en sí mismo y en otras partes del cuerpo. Reconoce los desplazamientos de los objetos: sabe dónde caerá un avión de papel.	Se hace evidente su necesidad de expresarse verbalmente, pero aún no tiene un extenso vocabulario. Puede llegar a tener 20 palabras. Sus balbuceos son cada vez más frecuentes, a los que añade diferentes entonaciones y diversos timbres de voz. Es capaz de pedir agua cuando tiene sed, "tete" cuando tiene hambre. Comienza a utilizar el SI.	Su sentido de autonomía e independencia se acentúa. Sus expresiones de cariño son más frecuentes y más asertivas, o sea que las dará en el momento adecuado para sus necesidades y deseos. Requiere el establecimiento de normas y límites que encaucen su curiosidad y capacidad de exploración. Es muy colaborador, puedes pedirle que te acerque un objeto. Ayuda a vestirse con mayor precisión que los meses anteriores.	Carro caminador. Cubos. Láminas de animales. Cajas de cartón. Balones. Libros. Frascos para tapar y destapar. Cuerdas. Pintura líquida. Bloques de madera. Figuras geométricas. Velas. Canciones. Cuentos. Pulseras. Taza y cuchara. Escaleras. Caja musical. Escoba, trapo. Caballo balancín. Crayolas.

Registro de Evaluación Mensual

Semanas / *Areas de desarrollo y estimulación*	*Primera*	*Segunda*	*Tercera*	*Cuarta*
Desarrollo y estimulación motriz				
Desarrollo y estimulación cognoscitiva				
Desarrollo y estimulación del lenguaje				
Desarrollo y estimulación socio-afectiva				

Anotaciones para el próximo mes:

Mes Dieciséis

Características de desarrollo

Desarrollo motor

Su caminar es seguro, corre, trepa, baja, se agacha, comienza a retroceder con apoyo, y los tropezones y caídas se van haciendo más esporádicos. Se baja solo de una silla, de una cama, sube y baja uno o dos escalones con ayuda o agarrado de las paredes. Al lanzar la pelota cada vez lo hace más lejos, bien sea con la mano o con el pie. Le atrae mucho lanzar objetos pequeños, al igual que introducirlos en recipientes con la abertura cada vez más pequeña.

Al caminar, podrá agacharse a recoger un objeto, levantándose y continuando la marcha sin caerse. Rasgar y garabatear son unas de sus actividades favoritas. Saca objetos dando la vuelta al frasco. Agarra un objeto en cada mano casi simultáneamente. Continúa recogiendo las migas que se encuentre, quitándose los zapatos y ahora intentando zafarse los cordones de los mismos. Cada vez se hacen más frecuentes conductas como tratar de meter las llaves en las cerraduras, abrir cajones, jalar gavetas, y sacar objetos de su sitio. Si tiene un carro en el cual pueda montarse y andar, ya lo hará como un experto, si tropieza echará hacia atrás y seguirá nuevamente hacia adelante.

Desarma un lego (juguetes de encajar) simple e intenta en ocasiones volver a colocarlo asertivamente en su sitio. Armará, con ayuda, un rompecabezas sencillo de dos o tres piezas, lo hará por su forma y no por su contenido, y por medio de ensayo y error.

estas partes, te las mostrará con algunos pocos desaciertos.

Cada día te comunica mejor lo que desea; a la hora de la comida te dará su plato para que le sirvas. Distingue la mayoría de las veces entre lo que es comestible y lo que no lo es.

Los juguetes de armar y desarmar, los rompecabezas, los objetos que se puedan introducir en otros serán sus mejores compañeros, ya que de esta forma estará aprendiendo y divirtiéndose con la atención centrada por períodos cada vez más largos.

Encaja bien las formas redondas.

Desarrollo cognoscitivo

El niño empieza a descubrir nuevos medios por experimentación activa y pone en práctica estas conductas experimentadas. Estas manifestaciones de inquietud intelectual seguirán estructurándose con el tiempo añadiéndoles cada vez nuevos elementos.

La memoria (permanencia perceptual) está más desarrollada y recuerda algo que otra persona realizó aunque ésta no esté presente, lo que le permite llevar a cabo acciones por sí mismo.

Sigue y tiene presentes los desplazamientos visibles de los objetos, ya que los períodos de atención son cada día más largos. Por ello será capaz de echar a andar un juguete de cuerda.

Comprende y obedece cada vez más órdenes, las cuales han ido aumentando en complejidad, como, por ejemplo: "Dame el vaso".

El conocimiento de las partes de su cara o rostro es casi total; si le preguntas por cada una de

Desarrollo del lenguaje

El parloteo continúa, pero añadiendo a éste cada vez un mayor número de palabras; tiene capacidad para expresar verbalmente emociones y sentimientos en palabras concretas, como por ejemplo cuando dicen "no" al no querer irse de algún sitio o cuando ven algo que les agrada dicen el nombre de éste cargado ya de un gran sentimiento. Cada vez es más preciso en sus peticiones, en sus expresiones, en su lenguaje gestual.

Hace peticiones sencillas. Imita vocales y usa de ocho a diez palabras pronunciadas correctamente, aunque su repertorio puede llegar a 30 palabras no utilizadas, de manera correcta. Demuestra comprender al tratar de responder a preguntas verbales. Por ejemplo: "¿Esto?".

Pone nombres a la gente, pues está en el período nominativo; a sus hermanos y personas más allegadas les dirá, por ejemplo, *lala, tata*, etc.

Desarrollo visual

Su capacidad visual está tan desarrollada que será capaz de reconocer más de cuatro láminas, identificar los objetos similares, como por ejemplo al ver perros de diferentes razas por separado señalará diciendo que es un perro.

Desarrollo auditivo

Reconoce los diferentes ritmos de la música y los sonidos con los cuales asocia un objeto, por ejemplo el reloj hace *tic-tac*, el tren *chu-chu*.

Desarrollo socio-afectivo

El niño disfruta de la compañía de otros niños, pero aún no juega con ellos, no existe todavía un intercambio social; y a pesar de ello, aunque tanto él como su amigo parezcan no hacer caso el uno del otro, cada uno podrá ser modelo de imitación para el otro, esto es lo que se llama "juego paralelo", le encanta remedar a los demás niños al reírse, al llorar y protestar; y gestos que manifiesten alegría. También puede preferir ser por sí mismo expresivo, sonríe y abraza, pero también podrá morder y jalar el pelo.

Constantemente está repitiendo los actos que le causan gracia a las demás personas. Su risa a carcajadas se presenta ante situaciones inesperadas. Las pataletas o rabietas serán más frecuentes y expresadas con mayor vehemencia.

Empieza a contestar al llamársele por su nombre. Cuando ya se ha familiarizado con otros niños intenta tocarles el pelo, la nariz, la boca, etc., esta es su manera de socializar con ellos. El niño ya puede lavarse y secarse las manos, estímulalo para que lo haga solo.

Ya sabe lo que quiere, pero tendrá que pedirlo o solicitar ayuda para hacerlo. Estas limitaciones generan en el niño frustración, ante lo cual gritará o tratará de obtener tu ayuda empujándote y llamando tu atención. Si no entiendes lo que quiere, se irritará aún más. Aunque se mantiene en una inagotable "molestadera", al rato se mostrará totalmente amoroso; tratará de besarte y abrazarte, o por lo menos con interés de que tú lo veas lleno de júbilo y regocijo. "Para cada tormenta, él te ofrece un rayo de luz".

Intervención general

Aunque el NO no sea su primera palabra, continúa siendo su preferida. Le encantará decirla mientras sacude su cabeza, y lo grita constantemente, aun cuando él en realidad quiera decir SI. Su constante negación es su declaración emocional de independencia hacia ti. Sus "NO" significan que él sabe lo que es correcto y su propia opinión. No puedes pararlo cuando dice no, pero hay formas mucho más listas de aventajar al niño: primero, nunca hagas una pregunta que pueda ser contestada con sí o no, obtendrás un merecido NO. En vez de preguntar si quiere vestirse, dale la posibilidad de que escoja entre las medias rojas o las blancas.

Segundo, dale espacio para sus opciones para que de esta forma, en el último momento, no tengas que apurarlo en su decisión y te dé como respuesta una negativa. Finalmente, desármale su batalla prudentemente. A menos que su desagrado involucre su seguridad o bienestar.

En el mes anterior te sugeríamos que lo familiarizaras con el orinal, continúa con ello, y si no te molesta, cuando tú vayas al baño entra con él y le enseñas que allí, en ese sitio, se realiza el ritual de hacer las necesidades físicas, de esta forma, por imitación, puede aprender más rápido. Es tiempo también de que le busques una palabra familiar para denominar estas acciones.

A esta edad debes mantener alejado al niño de las ventanas y cuidar de que los gabinetes estén cerrados para que no agarre frascos con medicamentos o líquidos que no son para él.

En las noches es muy probable que se despierte dada su habilidad para moverse, por lo que es conveniente arroparlo de vez en cuando sin tomar medidas limitantes o usar ganchos o alfileres que representen peligro.

Puedes turnarte con el padre el acostarlo, si es posible, y así el niño irá comprendiendo que no es sólo la madre quien lo atiende y lo cuida.

Es prudente que no lo dejes caminar con objetos con los cuales si se cayera se haría daño, como por ejemplo un vaso de vidrio, un lápiz o una colombina o chupeta. Llévalo de la mano cuando vayan a cruzar la calle o en lugares públicos, como un centro comercial o supermercados.

Para desarrollar su lenguaje verbal concédele el tiempo que necesite para expresarse, no te angusties si el vecino habla con mayor fluidez, recuerda que no es lo más recomendable comparar a tu hijo con otro niño. Cuando te esté hablando, trata de que ambos se estén mirando a la cara y demuéstrale que tienes todo el tiempo para escucharlo.

Es importante que el ritual de la lavada de los dientes sea incorporado de dos a tres veces al día ya que a esta altura tendrá el doble de los dientes que tenía a los trece meses.

Estimulación directa

Estimulación motriz

1. OBJETIVO: reforzar la capacidad para caminar a lo largo de una superficie estrecha.
   a) Repite el ejercicio de colocar en el suelo una tabla de 15 a 20 centímetros de ancho. Este ejercicio le obligará a poner los pies más cerca del eje del movimiento. Una tira de papel o una manta doblada producirán el mismo efecto.

2. OBJETIVO: caminar por una superficie elevada.
   a) Puedes complicar el ejercicio anterior poniéndolo a caminar sobre una viga o sobre un banco largo. No le permitas hacerlo a no ser que estés lo bastante cerca de él para evitar accidentes.(Ilustración No. 9).

3. OBJETIVO: fortalecer movimientos gruesos.
   a) Ingéniate situaciones y juegos ojalá al aire libre, en los cuales el niño deba correr, sobrepasar obs-

táculos, andar por sitios angostos, por arena, piedras, etc. Los juegos de pelota, gambetas, escondidas, le resultarán interesantes y divertidos al niño.

b) Demuéstrale al niño cómo caminar sobre líneas o figuras geométricas en diferentes direcciones. Puedes trazar con tiza en el piso o con una cuerda líneas curvas, en zig-zag, en círculo, en cuadrado, en rectángulo.

c) Pídele que haga el ejercicio anterior, pero en puntillas o sobre los talones.

d) En el mismo ejercicio pídele que lleve en sus manos un objeto; más adelante puedes solicitarle que lo ponga sobre su cabeza y camine.

Ilustración No. 9

e) Puedes hacer los ejercicios anteriores, pero al son de diferentes ritmos.

4. OBJETIVO: ampliar la imitación de movimientos corporales. .

a) Realiza movimientos nuevos con objetos o con el cuerpo para que el niño te imite. Por ejemplo:

- Miro el techo, miro el piso.
- Miro arriba, miro abajo.
- Me toco la cabeza, me toco los pies.
- Aplaudimos.
- Golpeo los puños uno contra otro.
- Ponerse de rodillas.
- Ponerse de cuclillas.
- Soplo una mano y luego la otra.
- Acaricio la pelota.

5. OBJETIVO: lograr posturas adecuadas.

a) Coloca al niño en posición de pie, apoyado sobre una silla y pídele que levante una pierna en movimiento vertical, mientras se sostiene con la otra; hazlo con la otra pierna.

b) En la posición anterior pídele que mueva la pierna hacia adelante y hacia atrás.

c) Muéstrale láminas con animales parados en un solo pie para que los imite o sírvele tú de modelo.

d) Sienta al niño en una silla adecuada a su estatura, sentándolo derecho con las rodillas algo separadas, con los hombros hacia atrás, la cabeza erguida mirando hacia adelante y con los brazos sobre la mesa. Cada vez que veas que el niño se va a sentar, recuerda acomodarlo en esta posición, hasta que para el niño se convierta en una rutina.(Ilustración No. 10).

6. OBJETIVO: estimular el rayado.

a) Ofrece al niño crayolas o lápices y papel; si él

por iniciativa propia no trata de rayar sobre el papel, demuéstrale cómo hacerlo y permítele que accione la crayola o el lápiz como él quiera.

7. OBJETIVO: manejar movimientos finos y de precisión.

a) Ofrécele al niño un recipiente con arena y una palita o cuchara que la utilice para llevar la arena de un lugar a otro, hacer montañas, etc. Variar este ejercicio pidiéndole que pase la arena por un colador o un embudo. Esta actividad puede hacerse también con agua; aprovecha el momento del baño.

Ilustración No. 10

b) Sentada frente al niño agarra una pelota pequeña en una mano y luego pásala a la otra mano, repite esto varias veces frente al niño. Entrégale la pelota y ayúdale para que la pase de una mano a la otra. Entona una canción para que él acompañe el movimiento con ritmo. Repite este ejercicio hasta que el niño lo haga coordinadamente.
c) Organiza un juego de bolos (puedes hacerlo con unos bloques de madera y un balón no muy grande), coloca los bolos o los objetos que harán de palos, pon el niño a un metro de distancia y enséñale a mandar la pelota de tal forma que pueda tumbarlos. Al comienzo este ejercicio será de gran dificultad para el niño pero poco a poco irá perfeccionándolo.
d) Pídele que construya torres imitando el modelo.

8. OBJETIVO: estimular movimientos adaptativos de las manos.
a) Dale al niño un saco u otra prenda que tenga botones y ojales grandes. Enséñale cómo apuntar y desapuntar y permítele intentarlo.
b) Dale diferentes tipos de papel para que rasgue.
c) Muéstrale diferentes formas de rasgado, en línea recta, quebrada, en cuadritos, en tiras largas.

Estimulación cognoscitiva

1. OBJETIVO: ejecutar órdenes complejas.
a) Dale ciertas órdenes tales como: "Toma la pelota y llévasela a Pablo". A la hora de la comida indicarle: "Deja la cuchara y límpiate la boca con el babero". "Dile a tu papá que lo llaman al teléfono". Si al comienzo no entiende en su totalidad la orden, ayúdale indicándole que es lo qué debe hacer.

2. OBJETIVO: estimular al niño para que obtenga algo que se encuentra difícilmente alcanzable.
Desde finales del primer año estamos describiendo varios ejercicios para enseñar al niño a obtener un juguete dando rodeos, sin embargo, es importante insistir en la idea, aunque ahora lo podemos hacer más complejo.
a) En una habitación con dos accesos que el niño conozca, puede ser la cocina, muéstrale por el vidrio de la puerta que ha llegado la abuelita y que se encuentra allí. No podrá entrar directamente a la habitación porque la puerta por donde observó está cerrada. Déjalo que él mismo busque la otra posibilidad de acceso. Repite este ejercicio en lugares donde tenga que resolver este problema por medio de otra alternativa.

3. OBJETIVO: reforzar el entendimiento de las formas y figuras.
a) Consíguete rompecabezas de pocas figuras (máximo seis) grandes y sencillas o un tablero que tenga para encajar figuras geométricas. Si le cuesta trabajo en un comienzo, indícale dónde va cada una, dándole una simple explicación.

Estimulación del lenguaje

1. OBJETIVO: ampliar la capacidad de expresión.
a) Permite que el niño trate de contar sus experiencias, escúchalo. Si el niño no lo hace, pregúntale: "¿Qué estás haciendo?", "¿Qué te pasó?", etc. Si el niño utiliza palabras incompletas o mal pronunciadas, dile la palabra correcta y pídele que la repita de nuevo.

b) Cuando el niño tenga necesidad de algo (hambre; sueño; quiera un juguete) permítele que se haga entender verbalmente y que trate de buscar la solución como pueda.

2. OBJETIVO: aumentar el repertorio de palabras y de frases.
a) Coloca al niño sentado cómodamente y preséntale un títere que al accionarlo motive al niño a establecer un "diálogo" con él. Trata de que la voz del títere sea diferente a la suya para llamar más la atención del niño.

3. OBJETIVO: reforzar el aprendizaje de nuevas palabras mediante la música.
a) Cántale despacio y claro una tonada; cuando vaya a dormir o a realizar otra actividad, anima al niño a completar la canción o a repetirla.

4. OBJETIVO: estimular la asociación y emisión de tres palabras.
a) Aprovecha los momentos en los cuales el niño te pide algo, por ejemplo alcanzar el oso que está en la repisa; dile: "Mamá te baja el oso", estimula al niño para que repita contigo, refuerza cualquier acierto y alcánzale lo que desea.

Estimulación socio-afectiva

1. OBJETIVO: enseñar la denominación de las cosas.
a) Enséñale al niño los nombres de sus prendas de vestir (pantalones, medias, saco, zapatos, etc.) y cuando le digas el nombre señálale la prenda correspondiente. En diferentes oportunidades pídele al niño que te las muestre: "Muéstrame los zapatos"; "¿Dónde están los zapatos?".
b) Hazlo igualmente con los alimentos.

2. OBJETIVO: estimular la manipulación de los objetos por medio del juego.
a) Ofrécele al niño un platón con agua y algunos juguetes pequeños de plástico para que los sumerja en el agua y juegue como él quiera.
b) Ofrécele al niño plastilina o barro moldeado en tal forma que le sea fácil enterrar palitos y tapas de refrescos. Anímalo a que entierre y desentierre los pequeños objetos y manipule el barro.

3. OBJETIVO: estimular la identificación con su nombre.
a) Pregúntale en distintos momentos "¿Cómo te llamas?", para que se acostumbre a contestar y a decir su nombre.

4. OBJETIVO: ayudar en hábitos alimentarios.
a) Guíalo para que tome correctamente el vaso y beba pequeños sorbos sin derramar el líquido.
b) Continúa familiarizando al niño con otros utensilios como el tenedor.
c) Acompáñalo a las horas de la comida y conversale, así la hora de comer será un rato agradable en el que comparte algo más que los alimentos.

5. OBJETIVO: expresar afectos dentro de su grupo familiar.
a) Expresa cariño al niño, y sugiere a otros miembros de la familia que lo acaricien, lo besen, le conversen, mientras practican actividades de la vida diaria.
b) Pídele al niño que exprese cuánto quiere a la abuelita, dé un beso a la hermana, consienta el perro.

Programación Semanal de Estimulación • Mes Dieciséis

Días / *Areas de estimulación*	*Lunes*	*Martes*	*Miércoles*	*Jueves*	*Viernes*	*Sábado*
Estimulación motriz	1a; 3b; 4a; 5c; 7a; 7d; 8b; 3a; según la oportunidad	2a; 3d; 5b; 5d; 6a; 8a; 8c	1a; 3c; 4a; 5c; 7a; 7d; 8c; 8b	2a; 3c; 5a; 6a; 7b; 8a; 8b	3b; 3d; 5a; 7b; 7c; 9b	3b; 5b; 5d; 6a; 7c; 8a; 8c
Estimulación cognoscitiva	1a; 3a	1a; 3a	1a	2a	2a	2a
Estimulación del lenguaje	2a; 1a; 1b; 4a; según la oportunidad	3a	2a	3a	2a	3a
Estimulación socio-afectiva	3a; 4b; 1a; 4c; 5a; 5b; según la oportunidad	2a; 3a	3b; 3a	2a; 4a	2b; 4b	4a; 4b

Nota: Esta programación es sólo una guía, ya que muchos de estos ejercicios el niño los realizará espontáneamente en sus actividades diarias.

En esta programación aparecen ejercicios que se sugieren realices todos los días ya que corresponden a la estimulación de hábitos y rutina, que sólo pueden ser aprendidos mediante la repetición frecuente, los cuales aparecerán en el cuadro bajo la denominación "según la oportunidad".

Resumen del Mes Dieciséis

Peso	*Medida*	*Desarrollo motor*	*Desarrollo cognoscitivo*	*Desarrollo del lenguaje*	*Desarrollo socio-afectivo*	*Juguetes*
Niño 11 kg. Niña 10.5 kg	81 cm 78 cm	Su caminar es seguro, corre, trepa, baja, se agacha y retrocede con apoyo. Se baja solo de la cama y de la silla. Sube 3 ó 4 escalas con ayuda. Puede rasgar, garabatear. Continúa quitándose los zapatos y zafándose los cordones de los mismos. Lanza cada vez más lejos la pelota. Desarma un lego sencillo.	Pone en práctica cada vez con mayor frecuencia conductas o acciones experimentales. Comprende, y obedece órdenes cada vez más complejas. Sus períodos de atención son más largos. El conocimiento de las partes de su cuerpo es casi total. Es capaz de reconocer más de cuatro láminas, identifica los objetos similares (por) ejemplo, al ver perros de diferentes razas por separado señala que es perro). Encaja bien las formas redondas.	Cada vez comunica mejor lo que desea. Contesta cuando se le llama por su nombre. Posee un repertorio de palabras. Pone nombres a las personas que lo rodean: a su hermana Andrea le dirá *tata* o *nana*; a la abuelita *tita*, etc.	Repite constantemente los actos que causan gracia. Se ríe a carcajadas ante situaciones inesperadas. Ya sabe lo que quiere y cuándo lo quiere. Su sentido de la paciencia aún no está desarrollado, por eso hará pataletas para obtener lo que desea. Acepta separaciones por tiempos cortos. Trata de socializar con otros niños tocando su pelo, los brazos, etc.	Arenera. Láminas de animales. Crayolas, lápices. Balde, pala. Canciones. Juego de bolos. Cubos. Botones, cremalleras. Papel. Teléfono. Escoba, trapo. Rompecabezas. Títere. Plastilina. Coche muñecas. Figuras geométricas.

Registro de Evaluación Mensual

Semanas / *Areas de desarrollo y estimulación*	*Primera*	*Segunda*	*Tercera*	*Cuarta*
Desarrollo y estimulación motriz				
Desarrollo y estimulación cognoscitiva				
Desarrollo y estimulación del lenguaje				
Desarrollo y estimulación socio-afectiva				

Anotaciones para el próximo mes:

Mes Diecisiete

Características de desarrollo

Desarrollo motor

En este mes no hay cambios realmente bruscos en su desarrollo motor, continúa afinando y precisando sus movimientos, en especial los de empujar, tirar, arrastrar y trasladar objetos, y queriendo llevar a cabo cada vez más rápidamente las cosas y por sí mismo. Sigue llamándole la atención treparse en todo lo que encuentra a su paso. Comienza a zapatear.

Le llama la atención abrir y cerrar puertas. Cuando va caminando, para y recoge objetos. El ejercicio que efectuamos el mes pasado de hacerlo caminar por una pasarela o una tabla que esté sobre el piso, lo hará con una mayor precisión gracias al equilibrio que ha desarrollado, habilidad que le permitirá también cambiar de posiciones sin caerse.

En cuanto a su motricidad fina, maneja con habilidad la taza facilitándosele la bebida de líquidos, y burdamente la cuchara. Puede sacar una bolita de un frasco con boca ancha.

Podrá abotonar y desabotonar abotonaduras grandes con mayor facilidad.

Si se le da una crayola garabatea por sí solo una raya horizontal con mayor precisión.

Desarrollo cognoscitivo

Identifica tanto personas como objetos por su nombre y los reconoce al presentárselos. También notarás que el niño ha adquirido una noción primaria de cantidad al indicar que desea "más" de algo y ya comprende el significado de "dame" y "toma", pidiendo así lo que desea.

Comprende lo que es la afirmación y la negación al utilizar el "sí" y el "no" en circunstancias correctas.

Identifica dos objetos familiares dentro de un grupo de cuatro o más objetos igualmente familiares para él.

Se perfecciona lo que llamábamos el mes anterior, la permanencia perceptual, gracias a un desarrollo cada vez mayor de su memoria. Igualmente tanto las imitaciones como tales, como las diferidas (aquellas en las cuales el modelo no está presente) son cada vez más complejas.

Desarrollo del lenguaje

El niño continúa hablando con una sola palabra para decir con ella todo el significado de una oración. Luego comienza a usar dos palabras como "nené más", como si enviara un telegrama; sin embargo se convierte en gran conversador con apenas un vocabulario de quince palabras correctas. No distingue todavía entre el plural y el singular.

Termina la etapa silábica y descubre que cada objeto tiene un nombre, pregunta "¿eso?", y al respondérsele qué es, repite. Entiende lo que dicen y puede inclusive hablar por él mismo, no sólo por imitación.

Son sustantivos y términos simples que describen acción. Las primeras palabras que dicen los niños de esta edad son por lo general papá, mamá, agua, luz, nené, tete. Las palabras de acción son usualmente ven, vamos, gracias, upa. Emite durante el juego sonidos del ambiente como motores, animales, etc., y balbucea retahílas. Continúa creando palabras expresivas, estableciendo una lengua puente entre sus familiares y él. Por ejemplo, dice *tuts* para expresar dulces.

Entiende la mayoría de lo que oye. Ensaya diferentes formas de comunicación, por lo tanto le encanta contestar el teléfono e imita llamar a alguien.

Desarrollo socio-afectivo

Usa normas de cortesía y saludos varios cuando se le indica. En el juego, el empleo de sus juguetes es ya con un propósito más definido. Necesita compañeros para volcar sus variados sentimientos aunque todavía no establece una interacción activa en el juego con otros niños. Sin embargo, con el adulto sí trata de compartir sus actividades.

Intervención general

Sacar a los niños al aire libre es muy importante, pues allí pueden moverse libremente, hacer ejercicios, practicar y mejorar su motricidad gruesa, recibir sol. A todos les encanta el parque, pero también en estos lugares tan especiales se esconden algunos inconvenientes, por eso es necesario estar muy atentos a todo aquello que resulte riesgoso para los pequeños, pues ellos lo pasarán por alto mientras se concentran en sus juegos, tanto con sus amiguitos como en las demás diversiones que encuentran allí.

Cuando comienzan a caminar, los niños inician la aventura de descubrir el mundo que los rodea. Deciden reconocer su entorno introduciendo pequeñas muestras de él en su boca; todo aquello que les resulta llamativo y desconocido pasa la prueba de fuego de su paladar y deja en él microorganismos y bacterias que producen todo tipo de enfermedades. Algunas de ellas no pasan de ser molestias pasajeras, como fiebre e irritación en la garganta, pero si no tomamos medidas higiénicas adecuadas, pueden convertirse en verdaderos problemas de salud. Por esto papá y mamá deben estar muy atentos cuando lleven a los niños de paseo, pues en la calle, donde existen contaminación y excremento de animales, se incuban los responsables de esos males que tanto atacan a los niños: amigdalitis, alergias, infecciones bucofaríngeas y complicaciones respiratorias, entre otras.

Sin embargo, no todo es negativo. Si bien son necesarias ciertas precauciones para que el niño no se haga daño, introducir elementos en su boca provoca que el organismo reaccione y que su sistema inmunológico produzca anticuerpos. Pero no hay que excederse, pues por ejemplo, una canica reviste más riesgo de ahogo que de infección.

Teniendo en cuenta otros aspectos, en este y en todos los meses trata de apoyar y compartir con el niño sus alegrías y sobre todo sus dificultades. Motívalo, dale seguridad, respétalo y refuerza su autoestima, debes creer en él y transmitirle este sentimiento.

Sé un modelo que valga la pena de ser imitado; tú eres su principal modelo junto con tu esposo. Dale amor para que se quiera a sí mismo y pueda querer a los demás.

Cada momento que estés con el niño aprovéchalo al máximo, aun el que implique rutina y tareas diarias. Por ejemplo, el instante de asearlo utilízalo también para hacerle cariños, sonreír y conversarle. En el momento del baño le encantará jugar con el agua. Vaciar, salpicar, ver, sentir, probar y oír el agua le ayudará a desarrollar sus sentidos.

Convierte el entorno del niño en un medio enriquecedor para su vocabulario, de esta forma ampliará su repertorio. Como hemos venido diciendo, es importante hablarle claro, con buena modulación, ojalá siempre de frente a él. Muéstrale y léele libros con dibujos grandes y de temas que le sean conocidos y de su interés.

Estimulación directa

Estimulación motriz

1. OBJETIVO: aprender a sortear obstáculos al desplazarse.

Ilustración No. 11

a) Pon en línea recta, cada 50 centímetros, tres objetos livianos (pelotas, cubos de plástico, cajas, etcétera), y pídele al niño que camine entre ellos. Poco a poco puedes ir aumentando el número de obstáculos y disminuyendo la distancia entre cada uno, así como hacerlo en diagonal, en círculo, etc.(Ilustración No. 11).

b) Se colocarán unos aros en el piso, una butaca o asiento pequeño y una mesa. Los aros puede sobrepasarlos o pasarlos de lado, la butaca debe treparla y la mesa debe pasarla por debajo. Al final de este recorrido debe encontrarse un juguete lo suficientemente motivador para que el niño no se quede jugando con los obstáculos.(Ilustraciones Nos. 12, 13 y 14).

2. OBJETIVO: estimular la conservación del equilibrio.
   a) Proporciónale cajas o cajones grandes para que el niño entre en ellos y salga de ellos. Es posible que al comienzo opte por hacerlo gateando, estímulalo para que lo haga de pie.(Ilustración No. 15)..
   b) Dibuja un laberinto en el piso y pídele que camine sobre las líneas, tratando de no salirse de ellas.

3. OBJETIVO: obtener mayor equilibrio y habilidad para subir y bajar escalones.
   a) Proporciónale al niño una escalera baja y corta y con una baranda sencilla. Al comienzo sube y baja con él tomado de la mano. Cuando lo veas seguro, suéltale la mano por el tiempo que consideres necesario hasta que éste sea cada vez más largo.

4. OBJETIVO: enseñar a caminar en círculo.
   a) Pon un aro en el piso, o arma un círculo con una cuerda. Anima al niño para que camine alrededor de él, al tiempo que le vas diciendo: "Estamos caminando en círculo".

5. OBJETIVO: estimular la manipulación de cubiertos y vajilla.
   a) A la hora de comer, permítele, bajo tu supervisión, que coja su taza e intente manejar su cucha-

Ilustración No. 12

ra. Trata de tener paciencia con su aprendizaje e indícale poco a poco cómo debe hacerlo.

Ilustración No. 13

6. OBJETIVO: estimular el ritmo.

a) Cántale una canción, o si puedes, tócala en flauta y el niño deberá acompañarte con un instrumento de percusión (tambor, platillos, etc.).

Estimulación cognoscitiva

1. OBJETIVO: estimular la observación y exploración de los objetos.

a) Permítele que cuando encuentre un objeto nuevo lo observe y explore a su manera, siempre y cuando éste no represente peligro para él ni para los demás.

2. OBJETIVO: reforzar los conceptos de "dame y toma".

a) Juega con el niño a la tienda. Pídele objetos para que te los dé, simula que ese no te gustó, se lo entregas diciéndole "toma", y después le pides que te muestre otros. Con pedacitos de papel que han pintado entre los dos con anterioridad, podrás simular el dinero que le entregas al final.

3. OBJETIVO: identificar personas u objetos familiares dentro de otros igualmente familiares.

a) En una fotografía de familia, o de su cumpleaños donde salgan varios amiguitos, pregúntale por dos de ellos. Si los identifica, pregúntale por otros dos. Cada acierto refuérzalo con un aplauso. Esto lo podrás hacer también con objetos o animales.

4. OBJETIVO: estimular la adquisición del concepto adentro-fuera.

a) Coloca sobre el piso un aro o construye uno con papel o cuerdas, mete al niño dentro del círculo diciendo: "Estás dentro del círculo", "Ahora estás afuera". Repite este ejercicio varias veces en distintos lugares.

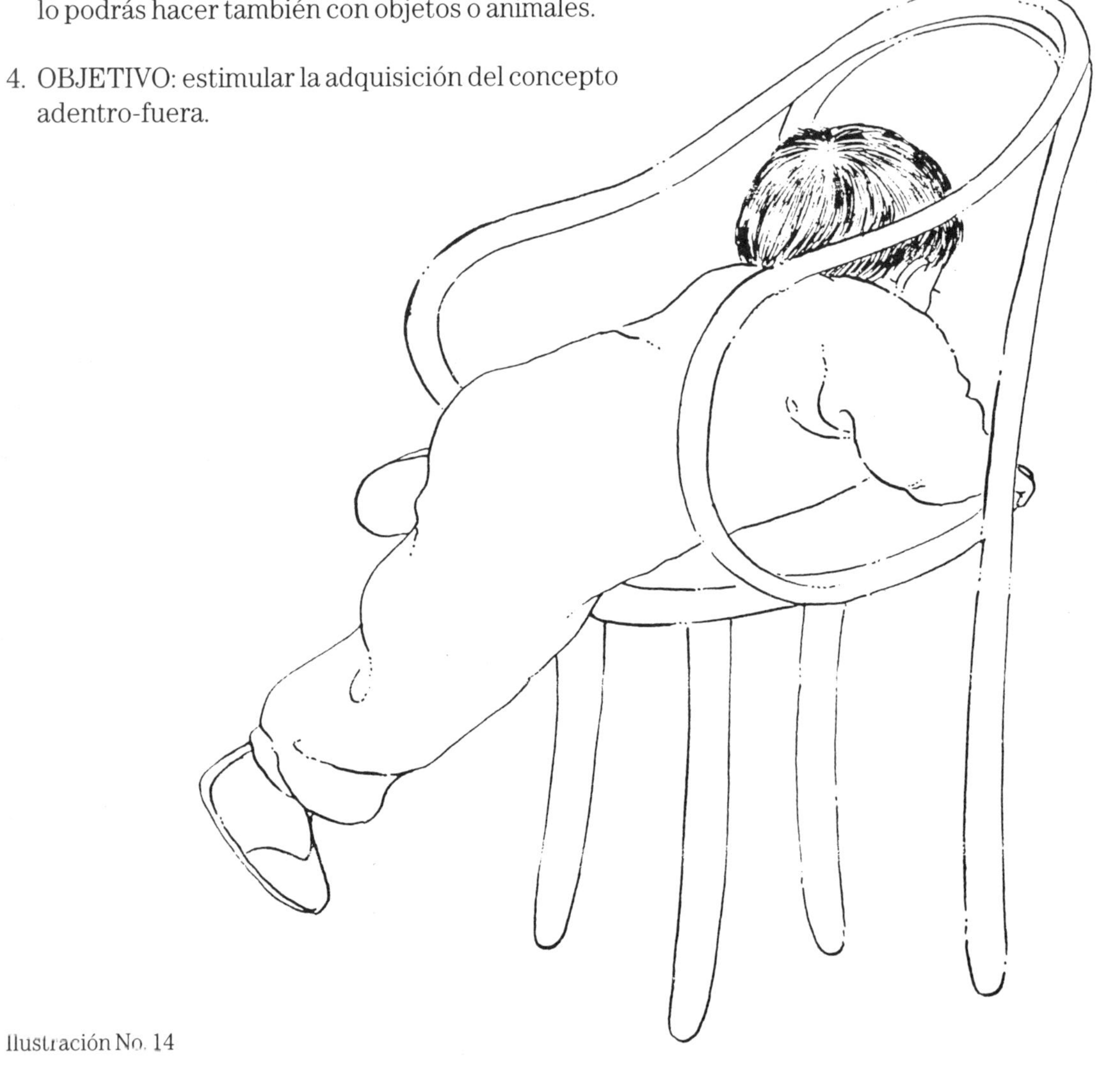

Ilustración No. 14

b) Siéntate frente al niño con una caja vacía e introduce en ella algún juguete diciendo "El oso está adentro", "El oso está afuera".

5. OBJETIVO: desarrollar habilidades de manejo espacial.
a) Cuando ya camine bien, pídele que lo haga hacia adelante, luego hacia atrás.

Estimulación del lenguaje

1. OBJETIVO: reforzar su identificación con su nombre.
a) Pregúntale constantemente cuál es su nombre, repíteselo para que lo diga de nuevo.

2. OBJETIVO: reforzar la emisión de sonidos correspondientes a objetos o animales.
a) Cuando esté jugando con un camión pregúntale cómo hace el camión. Si lo trata de hacer igual, refuérzacelo con sonrisas diciendo "bravo". Luego enséñale cómo hace el tren, el león, el avión, el mico, etc.

3. OBJETIVO: estimular las conversaciones.
a) Permítele un teléfono, ojalá de juguete, y tú simulas que tienes otro. Hazle el juego de llamar, preguntar por él, hacerle preguntas, y tratar de mantener una conversación lo más larga que puedas. Lo más posible es que "te cuelgue" pronto, por eso es importante que las preguntas que le hagas sean de interés para él o tengan que ver con sus juegos, juguetes o personas preferidas.

Ilustración No. 15

Estimulación socio-afectiva

1. OBJETIVO: reconocer dentro de su ambiente la ubicación de algunos objetos.
a) Dale algunas consignas para que el niño busque o guarde objetos en la alcoba: "Ve y busca la pelota", "Ahora guarda la muñeca en el cajón".

Otras consignas que puedes utilizar, por ejemplo a la hora de la comida, pueden ser: "Quédate sentado en la silla", "Pon la taza encima de la mesa".

2. OBJETIVO: iniciar al niño en el orden.
a) Una vez finalizada la hora del juego, pregúntale primero dónde están aquellas cosas que ha tomado y las tiene regadas. Luego lo invitarás a que ponga cada una de las cosas en su lugar. No lo dejes ir nunca de algún lugar sin que él haya colaborado en la recolección de su desorden.

3. OBJETIVO: imitar gestos, actitudes y acciones de la vida diaria.
a) Infla tus mejillas y aplástalas con las manos para que salga el aire, repite la acción para que el niño te imite. Haz gestos de alegría o enojo, o bien:"¡Qué barbaridad!"; "Atchis"; "Loco, loquito".

4. OBJETIVO: estimular el aprendizaje del baño solo.
a) Motiva al niño con el fin de que se prepare para el baño, permítele que él trate de desvestirse y busque su toalla.
b) Dale el jabón para que se enjabone, ayúdale a hacerlo y arma un juego alrededor de esta actividad.
c) Indícale cómo asear cada una de las partes de su cuerpo. Permítele que intente secarse solo.

5. OBJETIVO: enseñar a usar el cepillo y la peinilla.
a) Permite que el niño agarre el cepillo y se lo lleve al cabello. Ayúdalo a seguir los movimientos adecuados para peinarse correctamente. Invítalo a peinarse frente a un espejo.

6. OBJETIVO: incrementar la interacción con otros niños.
a) Cada vez que te sea posible llévalo al parque, reúnete con otros amigos, propicia encuentros con otros niños.
b) Estímulale los juegos que lleve a cabo con sus amiguitos como, por ejemplo, el de usar ropas, zapatos, e implementos propios de su papá, mamá, o hermanos. Este juego simula acciones de la vida diaria de la familia y ayudará a la identificación.

7. OBJETIVO: practicar normas de prevención de accidentes.
a) Preséntale frascos o envases vacíos de sustancias de uso doméstico o drogas, explícale para qué se usan y la importancia de no utilizarlos en ausencia de los padres.
b) Cuéntale sobre las precauciones que deben tener las personas al cruzar la calle, al caminar por la acera, etc.

Programación Semanal de Estimulación • Mes Diecisiete

Días / *Areas de estimulación*	*Lunes*	*Martes*	*Miércoles*	*Jueves*	*Viernes*	*Sábado*
Estimulación motriz	1a; 2b; 5a	1b; 3a	1a; 4a	1b; 6a	2a; 6a	2a
Estimulación cognoscitiva	2a; 1a; según la oportunidad	3a	4a	4b	5a	5a
Estimulación del lenguaje	3a; 1a; según la oportunidad	2a	2a	2a	3a	3a
Estimulación socio-afectiva	1a; 6b; 2a; 4a; 4b; 4c; 5a; 6a; 7b; según la oportunidad	1a; 7a	3a; 6b	3a; 7a	3a	6b

Nota: Esta programación es sólo una guía, ya que muchos de estos ejercicios el niño los realizará espontáneamente en sus actividades diarias.
En esta programación aparecen ejercicios que se sugieren realices todos los días ya que corresponden a la estimulación de hábitos y rutina, que sólo pueden ser aprendidos mediante la repetición frecuente, los cuales aparecerán en el cuadro bajo la denominación “según la oportunidad”.

Resumen del Mes Diecisiete

Peso	*Medida*	*Desarrollo motor*	*Desarrollo cognoscitivo*	*Desarrollo del lenguaje*	*Desarrollo socio-afectivo*	*Juguetes*
Niño 11 kg Niña 10.5 kg	82 cm 79 cm	No hay cambios bruscos en esta área del desarrollo. Continúa afinando sus movimientos, queriéndolos hacer más rápido cada vez. Se trepa obsesivamente en todo lo que se encuentra. Cuando va caminando para y recoge objetos. Puede caminar por una pasarela sin caerse. Ya maneja bien la taza, pero no del todo la cuchara. Puede sacar una bolita de un frasco de boca ancha.	Tiene un claro repertorio de palabras. La comprensión avanza rápidamente. Pueden figurar entre sus palabras expresiones como "gracias" y "ven". Comienza a unir palabras. Señala diciendo "mío" lo que le pertenece.	Identifica tanto objetos como personas por su nombre y los reconoce al nombrárselas. Comprende el concepto de "toma y dame" para pedir lo que desea. Comprende lo que es la afirmación y la negación. Puede hacer torres de tres cubos. Sigue órdenes cada vez más complejas. Usa sus juguetes con un propósito.	Es resistente a los cambios de rutina. Si se le estimula y acompaña, ayuda a organizar su lugar de juego. Usa normas de cortesía y saludos varios cuando se le pide. Ayuda afectivamente en las tareas de la casa.	Balón. Cubo. Cajas. Aros. Sillas pequeñas. Escaleras. Taza y cuchara. Canciones. Fotografías. Carro caminador. Teléfono. Muñeca. Cepillo y peinilla. Frascos para tapar y destapar. Figuras geométricas. Plastilina. Crayola, lápices. Rompecabezas. Timbres, pitos, cornetas.

Registro de Evaluación Mensual

Semanas / *Areas de desarrollo y estimulación*	*Primera*	*Segunda*	*Tercera*	*Cuarta*
Desarrollo y estimulación motriz				
Desarrollo y estimulación cognoscitiva				
Desarrollo y estimulación del lenguaje				
Desarrollo y estimulación socio-afectiva				

Anotaciones para el próximo mes:

Mes Dieciocho

Características de desarrollo

Desarrollo motor

Tiene mayor confianza al apoyarse en sus pies, aunque cuando lo hace no amplía la base ni levanta mucho el pie. Corre tambaleándose, rara vez se cae; tiene mejor manejo de su cuerpo al bailar, camina hacia los lados y hacia atrás varios pasos, baja y sube dos o tres escalones de una forma más segura, su equilibrio mejora. Inicia el caminar en círculo con ayuda de un adulto.

Para subirse a una silla generalmente lo hace trepándose, después se pone de pie sobre ella, gira y luego sí se sienta.

Los movimientos de aferrar, apretar y soltar que comenzaron en este segundo año ya deben estar completamente desarrollados. Utiliza los diferentes tipos de prensión de acuerdo con tamaño, uso y forma de los objetos. Hace rayas horizontales o puntos con un lápiz en el papel. Construye una torre de tres o cuatro cubos de 2,5 centímetros. Se entretiene bastante metiendo cubos en una taza. Puede quitarse los guantes o las medias. Tiene un mayor control sobre la taza y la cuchara, lo cual le permite en ocasiones alimentarse por sí mismo. Pasa dos o tres páginas de un libro a la vez si estas son delgadas y una a una cuando son gruesas. Puede abrir cremalleras y trata de ponerse los zapatos.

Desarrollo cognoscitivo

Constantemente verás cómo pone en práctica conductas o acciones experimentales. Ya se encuentra en capacidad de seguir el relato de una breve secuencia, por ejemplo cuando le narras un cuento, además comienza a asociar este relato con los dibujos que van apareciendo en el cuento.

Reproduce imitando un trazo vertical en el papel, puede comenzar a diferenciar los colores y ya sabe qué objetos le pertenecen. Su atención a todo lo que lo rodea es total.

Entiende que son personas aparte, separados de los objetos y personas que lo rodean. Se da cuenta de que no son un todo en relación con el medio. Esto le permite afianzar los conocimientos que había venido adquiriendo con respecto a la relación causa-efecto.

Parece que el niño observara pasivamente, pero en realidad está en un proceso activo de interiorización y asimilación de todo lo que está a su alrededor.

Desarrollo del lenguaje

En este mes el niño posee un claro repertorio de aproximadamente 17 palabras, aún balbucea, pero sus balbuceos poseen varias sílabas y una compleja estructura de la entonación. Con él no siempre intenta comunicar información y por lo tanto no se siente frustrado porque no lo comprendan. La comprensión va avanzando rápidamente.

Sus vocales y consonantes van integrándose gradualmente en el sistema fonético de su medio ambiente lingüístico hasta que a los cuatro años y medio hablará correctamente en un 90% y es casi enteramente inteligible.

Señala diciendo "mío" a lo que le pertenece. Si se le ha enseñado, dirá su nombre completo con apellido, aunque no lo exprese inteligiblemente.

Desarrollo socio-afectivo

Colabora en forma más activa que el mes pasado en el momento del orden. Está en capacidad de expresar sus sentimientos más fácilmente, sus juegos son más elaborados, pasea y acaricia su muñeca. Continúa disfrutando al entregarle libros para que se los muestres.

Comienza una mejor ubicación espacial, y a diferenciar entre arriba y abajo, adentro y afuera.

En esta etapa del desarrollo el niño se resiste a los cambios de rutina. Cuando haya necesidad de hacerlos, acostúmbralo poco a poco.

Descarga tensiones por medio de la agresión corporal. Sin embargo, un niño que haya sido educado consecuentemente, estará en capacidad para comenzar a ejercer su autocontrol y aumentar su capacidad de espera.

Se encuentra en capacidad de realizar juegos que le encanta compartir con sus padres. Se muestra más tranquilo cuando personas extrañas se dirigen a él.

Como ya ha ido adquiriendo la noción de similitud y diferencia cuenta con la aptitud para reconocer diferencias o parecidos con otros niños.

Su comportamiento continúa siendo posesivo, especialmente con sus pertenencias. "Pelea" por un objeto o juguete que meses antes hubiera prestado sin dificultad. Le gusta el juego de dar y recibir, aunque a veces no devuelve.

Intervención general

El niño se encuentra en la mitad del camino entre la primera infancia y la niñez. Notarás cómo crece la habilidad para hablar y su vocabulario aumenta cada vez más. Esto se convertirá para él en una nueva fuente de poder: mayor control sobre ti. Por lo tanto es una época en la que te debes mantener firme y consistente con lo que digas sin llegar a hacerle daño al niño.

Si durante los meses anteriores has encontrado que tu hijo aprende con facilidad, sobre todo en determinadas áreas, que esto no sea un motivo para que tú te confíes y pienses que todo lo logrará por sí solo sin necesidad de tu estímulo y de quienes lo rodean.

Algunos padres se preguntan si deben estimular el juego de su hijo o dirigirlo para que aprenda mejor esta o aquella habilidad. En la mayoría de los casos, el mejor estímulo es un buen juguete. Sólo los niños que manejan siempre de forma monótona el mismo objeto necesitan ser estimulados. Muchas veces no conviene dirigir el juego del pequeño. Con ello correremos el peligro de penetrar de forma inoportuna en su mundo interior. Lo que sí podemos y debemos hacer es jugar a menudo con nuestro hijo: los juegos de versos infantiles, canciones, el escondite, o el juego de "enséñame" (tu cabeza, tus pies, etc.) les encanta a todos los niños. Nunca hay que forzarlos, sino dejar, en lo posible, que ellos marquen las pautas en sus actividades de juego.

Si tu niño tiene un "exceso de motricidad" por gastar, te recomendamos llevarlo a que corra al aire libre, antes que dejarle que se acostumbre a "saquearlo" todo y a no sacar provecho de nada. Debes enseñarle desde pequeño a respetar lo de los demás y lo suyo propio.

Dale la oportunidad de ser colaborador, asertivo, de experimentar la diferencia entre "sí" y "no", y "mío" y "tuyo". Esto ayudará a reafirmar su personalidad y a disminuir las pataletas.

Continúa con el entrenamiento de llevarlo al baño, hazlo después que el niño haya consumido algún líquido.

A los niños en esta etapa les encanta amasar, embadurnarse, y hacer mezclas de distintas cosas. La idea no es darle una forma al amasijo, sencillamente prueba destrezas manuales y le da también una enorme sensación de placer.

Puedes hacer en la casa el siguiente amasijo: mezcla 3 tazas de harina, 1 y 1/2 cucharaditas de sal, 3 tazas de agua, 3 cucharadas de aceite de ensalada, todo esto en una olla grande. Coloca la olla en calor medio y revuelve hasta que la mezcla se ponga delgada. Remueve, deja enfriar y amasa hasta que tenga una sensación pastosa. Amasar esto les encantará y les ayudará a descargar sus emociones fuertes.

***E**stimulación directa*

***E**stimulación motriz*

1. OBJETIVO: estimular la confianza en el apoyo de los pies en movimiento.

a) Con un fondo musical, estímulalo para que baile; explícale que lo que está haciendo es bailar, pero no lo conviertas en un espectáculo porque lo puede hacer sentir incómodo. El niño probablemente querrá que tú también bailes, hazlo pero procura no tomarlo de las manos para que pueda moverse libremente.

2. OBJETIVO: caminar hacia atrás.

a) Coloca al niño ante un espejo grande y ubícate detrás de él, de manera que se vean ambos, anímale a andar hacia atrás varios pasos por imitación. Al principio ayúdale sosteniéndolo de los brazos.

3. OBJETIVO: acelerar sus desplazamientos.

a) Juega con el niño a "mira que te atrapo". De esta forma el niño acelerará el movimiento. De lejos llámalo y dile "ven rápido, rápido, rápido".

4. OBJETIVO: lograr buen equilibrio en posición de pie.

a) Pídele que se mantenga parado con los brazos pegados al cuerpo, solícitale que levante un pie para ponerle la media, el zapato. Hazlo con ambas piernas.(Ilustración No. 16).

5. OBJETIVO: desarrollar destreza para el salto.

a) Ayuda al niño a jugar flexionando las piernas en forma alterna, primero izquierda, después dere-

Ilustración No. 16

Ilustración No. 17

cha, una vez lento y otra rápido.(Ilustración No. 17).

6. OBJETIVO: reforzar su habilidad para subir escaleras.
a) Coloca un objeto sonoro o de color llamativo al final de la escalera, para que el niño suba a buscarlo y lo traiga.

7. OBJETIVO: encajar recipientes.
a) Dale tres cajas de diverso tamaño, preferiblemente con sistemas de cierre diferente. Estímulalo para que las abra, las encaje una dentro de otra, de pequeña a grande, poniéndole la tapa a cada una.

8. OBJETIVO: desarrollar la habilidad para realizar trazos horizontales.
a) Sobre un papel y con una crayola realiza una línea horizontal, lleva luego la mano del niño para repasar la línea. Pídele que lo realice solo, ayúdalo si es necesario. Repite este ejercicio, poco a poco el niño irá haciendo una línea más firme.

Estimulación cognoscitiva

1. OBJETIVO: estimular desplazamientos visibles de objetos.
a) Fabrica un "túnel" de cartón (un tubo de cartón o una caja larga puede servir). Siéntate con el niño frente a una mesa y pasa por el túnel un juguete que pueda rodar. Observa si el niño espera la salida del juguete por el lado contrario.

Si no lo hace, demuéstrale cómo el juguete entra por un lado y sale por el otro. Repite este juego con varios objetos.

2. OBJETIVO: desarrollar la noción de los objetos en el espacio.

a) Deja caer con el brazo muy estirado hacia adelante un objeto desde distintas alturas; entrégale al niño una bola u otro objeto para que te imite y pueda darse cuenta de las diferencias que puede haber al soltarlo desde muy alto o desde muy bajo.

3. OBJETIVO: estimular la habilidad para distinguir los objetos por su tamaño, forma y color.

a) Consigue dos conjuntos de varios objetos (botones y monedas; piedras y tapas de refresco; maíz y fríjol), señálale al niño las diferencias e invítalo a separar en dos montones los objetos: "Aquí las monedas; aquí los botones". Si el niño comete errores corrígelo y repite este tipo de actividad con diferentes objetos.

4. OBJETIVO: diferenciar arriba y abajo, adentro y afuera.

a) Toma un objeto y ponlo en el piso y di: "El muñeco está arriba", inmediatamente ponlo en el piso y di: "El muñeco está abajo". Repítelo varias veces y con distintos objetos.

b) Introduce un objeto dentro de una caja, cajón, armario, etc., y dile: "El carro está adentro", lo sacas y dices: "Ahora está afuera". Repite este ejercicio con diferentes objetos y en distintos sitios. Más adelante lo harás más complejo indicándole cuando él está adentro de la casa, afuera del carro, adentro del parque, etc., en lugares más grandes.

5. OBJETIVO: diferenciar colores.

a) Comienza a relacionar los colores con las prendas que usa habitualmente el niño: "la blusa azul", "las medias rojas", "los zapatos negros". Hazle referencia a los colores al mostrar la pelota, el cubo, etc. Cuando le muestres algo en un libro le dices: "Este barco es amarillo".

6. OBJETIVO: reforzar el concepto de permanencia de los objetos.

a) Toma un juguete pequeño que le agrade al niño, explícale que van a jugar a las escondidas y que él deberá encontrarlo. Guárdalo en tu bolsillo, sácalo y guárdalo debajo de la manta, vuelve luego a guardarlo en tu bolsillo, mantén la atención del niño todo el tiempo, pregúntale ahora dónde está. Seguramente al comienzo no lo logrará con mayor rapidez pero poco a poco lo encontrará.

7. OBJETIVO: desarrollar habilidades de manejo espacial.

a) Pídele que se despida con las manos arriba y que tire la pelota.

b) Pídele que señale las nubes y el cielo.

8. OBJETIVO: estimular la ubicación de su cuerpo en el espacio.

a) Motiva al niño para que lleve sus brazos hacia adelante, atrás, arriba, abajo; luego dirige su cabeza a un lado, al otro, adelante, atrás.

b) Pídele al niño que se desplace en una dirección, siguiendo una orden: un paso al frente, un paso atrás.

c) Pídele al niño que mire y señale hacia arriba. Solicítale el nombre de lo que ve arriba.

9. OBJETIVO: estimular la actividad del juego.

a) Ofrécele un juguete y convérsale para ganar su confianza, inicia un pequeño juego; por ejemplo: aquí tenemos dos carritos, uno rojo y otro azul, listos para correr, ahora... pídele aquí que continúe él con el juego, ayúdale si le es un poco difícil al comienzo.

b) Cuéntale cuentos sencillos y pídele que haga mímicas y movimientos corporales a medida que avanza la narración.

Estimulación del lenguaje

1. OBJETIVO: enseñar a decir su nombre y apellido.

a) Cuando el niño te esté poniendo atención repítele varias veces su nombre y apellidos. "Tú te llamas Ricardo Pérez Gómez". Refuérzalo cada vez que lo diga correctamente.

2. OBJETIVO: enriquecer su entorno.

a) Es importante ampliar el repertorio del niño, para esto háblale claro, dale forma a las frases que él trata de expresar y que él las repita de nuevo, ponle radio, especialmente si hay emisoras para niños. Estímula a sus hermanitos para que le hablen y cuenten sus experiencias del día en el colegio.

3. OBJETIVO: estimular el lenguaje a través de oír su propia voz.

a) Grábale una conversación, luego ponla para que se oiga, si no distingue su voz, dile que es él quien está hablando. Permítele el micrófono para que hable por él, grábalo nuevamente y pónselo a oír.

4. OBJETIVO: incentivar los relatos del niño.

a) Haz al niño siempre preguntas sobre sus actividades: "¿Qué comiste?";"¿A qué estás jugando?"; "¿Qué hiciste en el parque?"; "¿Con quién estabas?". Recuerda que la mitad de estos relatos serán a media lengua.

Estimulación socio-afectiva

1. OBJETIVO: fortalecer la socialización.

a) Estimula al niño para que busque la compañía de otros niños y comparta su juego. En un momento en que haya más niños dile que busque un compañerito y cántale: "Dame una mano, dame la otra, gira que gira, gira redonda".

2. OBJETIVO: reconocer a sus compañeros.

a) Cuando se encuentre con más niños intercala consignas diciendo "dáselo a Juan", "llama a Marcela", "juega con Sebastián".

3. OBJETIVO: usar sustitutos para descargar su agresión.

a) Facilítale masa o plastilina para que el niño realice modelado, la golpee, la amase, la pellizque.

b) En un lugar espacioso ofrécele al niño una pelota y dile: "El que la lance más alto".

4. OBJETIVO: reforzar el "toma y dame" y "tuyo y mío".

a) Ofrécele objetos tanto de él como tuyos o de la casa que le llamen la atención al niño. En el momento de dárselo dile, "toma, este perrito es tuyo". Luego pídeselo. Cuando te lo dé, dile "gracias". Luego ensaya con algo tuyo y dile, "toma esta pulsera que es mía". Luego se la pides. Repite este ejercicio tantas veces como sea oportuno.

Programación Semanal de Estimulación ● Mes Dieciocho

Días / *Areas de estimulación*	*Lunes*	*Martes*	*Miércoles*	*Jueves*	*Viernes*	*Sábado*
Estimulación motriz	1a; 4a; 6a	2a; 4a; 7a	1a; 5a; 7a	2a; 5a; 8a	3a; 6a; 8a	3a; 6a
Estimulación cognoscitiva	1a; 3a; 5a; 8a; 8c; 7a; 9a; 9b según la oportunidad	1a; 4a; 6a; 8a	2a; 4b; 7b; 8a; 8c	2a; 4a; 6a; 8b	2a; 4b; 7b; 8a; 8b	3a; 5a; 7b; 8b
Estimulación del lenguaje	3a; 1a; 2a; 4a; según la oportunidad		3a		3a	
Estimulación socio-afectiva	3b; 4a; 1a; 2a; según la oportunidad	3a; 4a	3b; 4a	3a	3b	3a

Nota: Esta programación es sólo una guía, ya que muchos de estos ejercicios el niño los realizará espontáneamente en sus actividades diarias.

En esta programación aparecen ejercicios que se sugieren realices todos los días ya que corresponden a la estimulación de hábitos y rutina, que sólo pueden ser aprendidos mediante la repetición frecuente, los cuales aparecerán en el cuadro bajo la denominación "según la oportunidad".

Resumen del Mes Dieciocho

Peso	*Medida*	*Desarrollo motor*	*Desarrollo cognoscitivo*	*Desarrollo del lenguaje*	*Desarrollo socio-afectivo*	*Juguetes*
Niño 11.5 kg Niña 10.5 kg	83 cm 80 cm	Sube y baja escaleras prendido de la baranda. Sube tambaleándose pero rara vez se cae. Camina hacia los lados y hacia atrás. Comienza a saltar sobre dos pies. Utiliza los diferentes tipos de presión de acuerdo con tamaño, uso y forma de los objetos. Le quita la envoltura a un dulce. Puede abrir cremalleras.	Sigue el relato de una breve secuencia. Señala en un dibujo un automóvil, un gato, etc. Reproduce un trazado vertical en un papel. Construye una torre de cuatro o cinco cubos. Cumple dos órdenes una tras otra: "toma la pelota" y "dásela a papá". Continúa poniendo en práctica acciones experimentales. Afianza sus conocimientos sobre la relación causa-efecto. Comienza a diferenciar arriba-abajo y adentro-afuera.	Tiene un claro repertorio de aproximadamente 17 palabras. Aún balbucea, pero sus balbuceos poseen varias sílabas y una compleja estructura de entonación. Vocales y consonantes se van integrando gradualmente al lenguaje. Si se le enseña dice su nombre y apellido.	Comienza a diferenciar las palabras. Está en capacidad de realizar juegos que le encanta compartir con sus padres. Reconoce diferencias o parecidos con otros niños. Su comportamiento continúa siendo posesivo. Le encanta el juego de dar y recibir, aunque a veces no devuelve.	Canciones. Espejo. Escalera. Cajas de diferentes tamaños. Papel. Crayolas, lápices. Libros, revistas. Plastilina. Balones. Caja musical. Cubos. Títeres. Muñecos. Figuras geométricas. Arenera. Rompecabezas. Coche muñeca. Juguetes apilar.

Registro de Evaluación Mensual

Semanas / *Areas de desarrollo y estimulación*	*Primera*	*Segunda*	*Tercera*	*Cuarta*
Desarrollo y estimulación motriz				
Desarrollo y estimulación cognoscitiva				
Desarrollo y estimulación del lenguaje				
Desarrollo y estimulación socio-afectiva				

Anotaciones para el próximo mes:

Segundo Período (19 a 24 meses)

Introducción

Las nuevas necesidades de desarrollo del niño exigirán cambios en las relaciones de éste con los miembros de su familia, quienes deben responder a una creciente demanda de independencia. El niño expresará cada vez más fuerte la necesidad de actuar por su cuenta, hasta el punto de que rechazará la ayuda del adulto en sus actividades y exigirá que lo dejen actuar solo.

Los avances en la capacidad de interacción y comunicación, como se hace mención en los meses anteriores, constituyen uno de los aspectos más sobresalientes en esta etapa.

De esta manera una de las adquisiciones de mayor importancia es el lenguaje hablado, constituido por un sistema de signos que le permiten al niño expresar sus necesidades, reconstruir hechos pasados y establecer nuevas relaciones con el mundo que le rodea.

El dominio del lenguaje es de gran importancia porque tiene que ver con la necesidad de comunicar las imágenes que el niño tiene del mundo, así como de dar respuesta a la exigencia de los adultos de que se exprese con claridad por medio de la palabra. Su uso se caracteriza por la utilización de palabras y oraciones cortas al dirigirse a otras personas. Inicia, como otra forma de comunicación, trazos sobre superficies.

En este período el niño asocia más palabras con objetos, por lo cual incrementa su vocabulario. A diferencia de la etapa anterior en la que una palabra significaba toda una frase, así si el niño muestra a la madre el zapato con los cordones sueltos y dice "zapato", esto significa "amárrame el zapato" o "tete" significa "tengo hambre", ahora adquiere reglas sintácticas que rigen la formación de frases y oraciones, haciendo más completo e inteligible su lenguaje.

Es necesario que estimules sistemáticamente en el niño su capacidad de comprensión y expresión como formas efectivas de comunicación, posibilitando una continua interacción que le permita perfeccionar su lenguaje; de esta manera y por medio de las correcciones que se hacen, o la imitación de respuestas verbales, el niño construye frases gramaticalmente correctas.

En el área motora el niño ha logrado ya el dominio de la marcha y con ella la inmensa posibilidad de explorar en múltiples dimensiones el espacio; maneja la relación cuerpo-espacio y su habilidad con respecto a la gravedad llega en esta época a ser muy sofisticada.

A nivel cognoscitivo muestra una gran capacidad para tomar conciencia de sus propias habilidades; por esta razón evidencia interés por realizar actividades más complejas que le exigen nuevas alternativas para alcanzar el fin que desea.

Uno de los grandes logros en el terreno del pensamiento es la formación de conceptos, la elaboración de juicios y procesos de razonamiento. Emplea la representación simbólica, o sea, la capacidad para representar por medio de imágenes o de signos, cosas ausentes. Antes de este período el niño actuaba más por ensayo y error, tanteaba, tiraba o empujaba los objetos para ver qué sucedía. Ahora podemos decir que el niño piensa antes de actuar mediante la representación simbólica.

En el juego el niño usa especialmente esta habilidad para representar lo que ha visto o vivido, como situaciones de los padres, de otras personas que conoce, de los animales, lo que hacen, simula eventos, o hace que sus juguetes las ejecuten, imita a otros. El juego es, por lo tanto, una actividad de vital importancia que debe estimularse, pues contribuye a desarrollar su imaginación y creatividad.

Mantiene un interés permanente por fenómenos naturales y sociales; una activa exploración e investigación de espacios en un deseo constante por alimentar su inteligencia. Es importante, entonces, proporcionar toda la libertad, información y posibilidades que demande.

En el área socioafectiva se basta a sí mismo en varias actividades, es más independiente; su actividad se va configurando, ya se diferencia del adulto y se reconoce como un YO independiente con un nombre y una naciente identidad, por ejemplo, cuando quiere expresar "el niño se cayó", utiliza "yo o mí". Es el tiempo de la exploración de sus propias posibilidades de acción.

La asimilación del significado y uso social de las cosas que están a su alrededor constituyen una parte fundamental del desarrollo: la escoba para barrer, el asiento para sentarse. El niño debe aprender de los adultos este significado, ya que aunque él pueda accionar las cosas, por ejemplo, golpear con una cuchara, esta actividad por sí sola no le permite llegar a descubrir sus propiedades, funciones, las normas del comportamiento social inherentes a su utilización.

De la manipulación y exploración de los objetos, el niño pasará a investigarlos, preguntando cómo se llama, para qué sirve, cómo son, quién los hizo.

Igualmente, el niño en esta etapa expresa la necesidad de actuar por sí mismo, gracias a que ha adquirido una conciencia de sí como persona, a la vez que posee el dominio de su cuerpo y el manejo práctico de la realidad. Su capacidad para seguir instrucciones va en progresivo aumento. Colabora con los adultos, pero también con otros niños en los juegos. Al finalizar este período el niño se habrá apropiado de normas de comportamiento básico, las que acata para ser reconocido por los adultos.

Su autoestima es un factor muy importante, demanda manifestaciones afectivas ante sus logros, apoyo y comprensión. Es hora de estimular su crecimiento afectivo, expresando cariño y afecto y enseñándole a sentir y manifestarlo a otras personas.

Otro aspecto de gran importancia es el relacionado con el control de esfínteres. Al comienzo de este período el sistema neuromuscular ha madurado para permitir el control voluntario de la eliminación y al mismo tiempo inhibir o suprimir respuestas que antes se efectuaban en forma refleja; el niño podrá llegar a retener hasta que se encuentre en un lugar apropiado.

Uno de los entrenamientos será entonces el del control de esfínteres. Para que lo lleves a cabo es necesario que tengas en cuenta varios aspectos:

- Es importante reforzar en el niño respuestas relacionadas con la identificación de sus necesidades. Puedes hacerlo con estímulos tangibles como dulces, juguetes o premios, o con estímulos sociales como palabras cariñosas de aprobación.
- Al dar al niño los refuerzos, es importante elevar el criterio para obtener la recompensa, es decir, al comienzo vas reforzando conductas que expresen el deseo de eliminar, hasta que realmente lo haga. Luego, cuando el niño te avise con mayor frecuencia, irás espaciando los refuerzos, hasta recompensar solamente la respuesta deseada. De esta manera el niño obtendrá autosatisfacción al comprobar que ha hecho algo aprobado socialmente, hasta llegar a tener la iniciativa de realizarlo solo, lo cual constituye un importante signo de independencia.
- No debes castigar al niño por eliminar en un momento o lugar inadecuado, pero tampoco brindar refuerzos, esto le facilitará discriminar en cuanto a lo deseable o no en relación con este comportamiento.
- Adquirir el control de los esfínteres es un proceso que tiene etapas anteriores que deben ser cumplidas como:

  El niño debe caminar sin buscar apoyo, agarrar y soltar objetos en adecuada coordinación perceptivo-motora, identificar los sitios y utensilios de aseo y pronunciar palabras que le permitan identificar verbalmente sus necesidades y poder dar cumplimiento a órdenes sencillas.

  Para iniciar este aprendizaje practica las siguientes actividades:
- Enséñale qué significa orinarse: cuando lo haga y lo vayas a cambiar, dile sin enojo "te hiciste pipí".
- Siéntate en el baño y lleva al niño. Dile que tú estás haciendo pipí.
- Coloca un vaso de noche y enseña al niño a sentarse en él, primero con ropa y luego sin ropa, y dile "pipí".

- Cuando el niño tenga deseos de hacer pipí, o tú creas que tiene, siéntalo en el vaso de noche y tú en el baño, entonces dile vamos a hacer pipí.
- Dile al niño que te ayude a bajar la cisterna, y ríe con él al ver cómo el agua se va.

Otra área de vital importancia en esta etapa a la que dedicaremos un espacio más amplio, es la creatividad.

La creatividad es una capacidad de la cual todos los niños pueden hacer uso a medida que se favorecen, reconocen y estimulan sus diferentes manifestaciones. Cuando el niño la utiliza para manejar sus múltiples actividades está contribuyendo al desarrollo de otras áreas, como el lenguaje, la inteligencia, etc.

Es una habilidad para expresar las facultades intelectuales de forma caracterizada por la originalidad, la adaptabilidad a las circunstancias y la eficacia en la realización de acciones, que puede ser desarrollada en todas las personas.

La creatividad tiene que ver con otros procesos como la imitación, la cual juega un papel fundamental en el descubrimiento del medio y en la adaptación al mismo; con el lenguaje, que pasa a ser el medio de comunicación básico; con la motivación, ya que es mediante actividades que despierten interés porque están referidas a cosas que le son agradables, le proporcionan placer y le divierten, como construye nuevos conocimientos. Igualmente con procesos como la memoria, la atención, la percepción y la comprensión.

Es de gran importancia estimular su desarrollo en esta etapa del segundo año, que se caracteriza por el descubrimiento de nuevos medios para explorar el mundo, repitiendo a voluntad las acciones y buscando variaciones en ellas para observar diferentes resultados, pensar y resolver problemas.

La estimulación de la creatividad comprende experiencias encaminadas no sólo a desarrollar habilidades elementales, sino también la capacidad para pensar.

Existen múltiples maneras de estimular la creatividad en el niño.

El juego constituye el medio más importante para desarrollar la creatividad, tratando de que cada día sea más complejo, dejando que él desarrolle su inventiva y animándolo para que cambie el orden lógico de las cosas.

Invítalo a que imite ser un avión, un tren, un auto, el caminar de los animales, y el volar de las aves. Dale la oportunidad de cavar, trasladar tierra o arena, soplar burbujas de jabón y correr a agarrarlas.

Haz juegos al aire libre con llantas, cubos grandes, cajones, pelotas. Realiza dramatizados del cuento narrado, muéstrale láminas para que el niño narre historias de su propia creación. Pídele que camine como enano y como gigante. Ponle al niño pequeños problemas y pregúntale su respuesta: ¿Qué pasa si dejo caer la pelota? Explícale las causas de algunos fenómenos; por ejemplo, si las ramas de los árboles se mueven, cuéntale que es el viento el que las hace balancear. Enséñale a conocer su propia sombra y a jugar con ella.

Los cubos de madera son excelentes juguetes para desarrollar la creatividad, procura que haga con ellos cosas como golpearlos, tirarlos, meterlos en una bolsa, sacarlos, ponerlos en fila, hacer torres.

La actividad de los cubos se puede llevar a cabo desde muy temprana edad; paulatinamente el niño la hará cada vez más sofisticada y tiende a ser más compleja y exacta al modelo pensado. Por medio del trabajo con cubos el menor desarrolla la capacidad para pensar con imaginación y creatividad acerca de la construcción.

En cuanto a los juguetes debe existir un número suficiente de materiales variados que permitan no sólo estar almacenados y clasificados adecuadamente, sino permanecer disponibles para cuando el niño los necesite. La mayoría de estos objetos pueden ser desechables, materiales silvestres o juguetes de muy bajo costo elaborados por los mayores; estos juguetes provisionales, como por ejemplo barcos confeccionados con cajas de cartón, ollas hechas con tarros, u otros, tienen la ventaja de presentar un desafío a la imaginación del niño.

Una manera de contribuir a desarrollar su imaginación es involucrarlo en todas las actividades que te sea posible. Por ejemplo, en la construcción de los juguetes que te mencionamos en el párrafo anterior, ayúdale a estar atento y sentir que está cooperando en la elaboración de los mismos, pues ellos buscan oportunidades para descubrir, construir, destruir, transformar, y manipular diferentes materiales.

Algo en lo que también debemos pensar es en la adecuación de los espacios interiores y exteriores; los niños buscan un lugar donde puedan crear su propio mundo; estos espacios deben estar provistos de ciertos objetos para que permitan el juego casual, incidental e imprevisible de los niños.

Es importante tener en cuenta que en la disposición que los niños dan a los juguetes suelen expresar su concepción acerca de la importancia de la familia, de las cosas, de las exigencias de los mayores, de las cosas que los asustan.

Los juegos dramáticos colectivos constituyen una de las formas más versátiles para desarrollar su creatividad y expresar ese inmenso potencial de imaginación que poseen los niños. Allí cambian rápidamente de papeles, a veces organizan por largo rato un juego que no cumplen, crean situaciones fantásticas, pero relacionadas con momentos y situaciones de todos los días, es decir, lo que el niño observa de todas estas situaciones, por ejemplo la visita a la casa de la abuelita, la visita al médico, la compra en un almacén.

Para enriquecer este tipo de juego se debe aprovechar toda oportunidad que se presente; por ejemplo, cuando nos acompaña al mercado; si le hablas y estimulas para que haga sus propias observaciones, usando el vocabulario correcto, explicando el significado y escuchando los comentarios del niño, él podrá tener ideas para nuevos juegos.

Finalmente ten en cuenta que todas las actividades diarias constituyen elementos para estimular la creatividad en el niño. Todo consiste en dar rienda suelta a tu imaginación y convertir las situaciones más simples en oportunidades para nuevas creaciones.

Mes Diecinueve

Características de desarrollo

Desarrollo motor

Como lo ha venido haciendo en los meses anteriores, en este mes se dedicará tanto en su motricidad gruesa como en la fina, a perfeccionar y consolidar sus movimientos. Su caminar es mucho más seguro, puede hacerlo más rápido, por ello mostrará un gran interés hacia las otras formas de locomoción existentes, como caminar en círculo, caminar hacia atrás, trepar en sillas y escalones no muy altos, saltar de estas mismas alturas bajas, brincar sobre las camas, etc. Su movimiento es casi perpetuo (porque es permanente), danza, patea una pelota con buena precisión, se mantiene en equilibrio, corre casi sin caerse (esto posiblemente ocurrirá cuando al ir corriendo necesita cambiar de dirección bruscamente).

Su motricidad fina ha avanzado mucho gracias al manipuleo intencional y constante de los objetos, su prensión es mucho más precisa; el agarre de pinza es nítido. Pasará 2 ó 3 páginas de libros que no sean tan gruesas con una buena coordinación, ensartará redondeles con un agujero en el centro dentro de un palo, jalará por un cordel algún objeto rodante, se llevará la cuchara a la boca con alimentos y fallará pocas veces en su intento, levantará la taza y beberá bien, realizará los trazos sobre una hoja con mayor firmeza ya que tiene una definitiva imitación del acto de dibujar, ayudará a desvestirse sobre todo en zafar los cordeles de los zapatos, etcétera.

Desarrollo cognoscitivo

Su desarrollo cognoscitivo también avanza significativamente. Ahora en realidad podemos decir que día tras día es más personita, piensa antes de actuar y se demora cada vez más en este acto, sabe casi siempre lo que quiere, cómo lo quiere y para qué lo quiere. Lo que observa lo clasifica en su espacio mental: previendo ya lo que hay detrás de la puerta, al otro lado de los muebles, en la caja de los juguetes, etc.

Puede realizar dos órdenes en una; construir torres hasta de cuatro o cinco cubos. Las figuras geométricas comienzan a apasionarlo, tratando, mientras las tenga a su alcance, de manipularlas e introducirlas por aberturas de todas las formas posibles. Tira la pelota cuando se le pide. Identifica casi la mayoría de objetos familiares; al pedírsele que señale las partes de su cara lo hará casi sin equivocarse. En fin, veremos cómo se ha venido consolidando su juego simbólico representado en escenas cada vez más complejas, ya no sólo cocina, sino que le ofrece a sus padres de lo que supuestamente ha preparado, tal acción se encuentra ligada a sus primeros aprendizajes de respuestas a una petición de los mayores, como por ejemplo: dame un beso; di adiós; prepara la comida; ayúdame a limpiar, etc.

El juego de apilar y el de levantar torres le ha ayudado a reconocer la noción de plano horizontal, al tiempo que el juego de superación lo impulsa constantemente hacia actividades nuevas (si se cae vuelve y se sube), preocupándole únicamente la realización de lo que se proponía. Como se decía anteriormente esta es una etapa de experimentar para probar.

Desarrollo del lenguaje

A partir de este mes notaremos con mayor evidencia que se producirán más cambios, ya que el niño incorporará a su repertorio anterior una buena cantidad de palabras nuevas, cinco o más, y será capaz de repetir con sentido otra serie de palabras, como por ejemplo, así, esta, este, e intentará decir su nombre más claramente, dice *sí* y *no* con sentido y en el momento adecuado; además, aún continuará haciéndose entender por medio de la señalización para obtener lo que desea.

Su capacidad de asociación de palabras ha aumentado a dos o más palabras. Aunque seguirá utilizando una palabra puente, como por ejemplo: *mamá*, que le servirá no sólo para llamarla sino para pedir ayuda y para indicarle que desea que vaya hacia él. Igualmente *tete* podrá significar varias cosas, como tetero, hambre, deseo de dormir, etc.

Desarrollo socio-afectivo

Su notable independencia lo hará mostrarse un poco malgeniado cuando las cosas no le resultan como él ha pensado o desearía, o pleno de alegría cuando lo ha logrado. Estos cambios bruscos de humor se deben a su creciente deseo de independencia.

Pero estos comportamientos de independencia presentan contradicciones porque en determinados momentos necesitará de tus demostraciones de afecto y de apoyo, a la vez que él te dará a ti o a sus familiares más cercanos las más amorosas expresiones de cariño.

Es un poco más colaborador, iniciando en este mes el juego de ayudar a recoger y guardar sus juguetes, llevar hacia otro lugar un objeto determinado, el que en sus juegos alimente, cepille o bañe a su muñeco preferido, etc.

Se mostrará también algo más ansioso por estar con niños de su edad, pero aún no será capaz de jugar en grupo, pues su juego sigue girando alrededor de sí mismo, entiende si se le explica que hay que compartir sus juguetes, pero no lo hará por mucho tiempo.

Es importante recordar que en esta área socio-afectiva y en las demás, el niño tratará todo el tiempo de tomar la iniciativa, este aspecto debe ser reforzado y alabado, pero igualmente canalizado y orientado estableciendo algunos límites, de esta manera estarás formando un niño seguro en su manera de actuar. La hora de ir a la cama, la de comer, aun la de bañarlo o cambiarlo se prestarán para hacer sus comedias: llorará, saldrá corriendo para no ser alcanzado y cuando lo es, su llanto y a veces el pataleo podrán incrementarse. En este momento deberás mostrarle que es posible disfrutar de cada una de estas actividades, y que existen tiempos para jugar y tiempos para cumplir con sus deberes.

Intervención general

Los meses venideros son esenciales para la adaptación del niño, ya que comienza a construir su entorno de una forma más consciente y a relacionarse con las demás personas. Así, se hace más evidente el aumento en sus movimientos y el control que sobre sí mismo tiene para realizarlos con una mayor precisión.

La motricidad fina adquiere una gran importancia y es indispensable que se lleve a cabo una adecuada estimulación dado que aquí intervienen varios aspectos, como la coordinación viso-manual, que deben ser trabajados de una manera armónica. Para ello te sugerimos que a partir de estos meses pongas un mayor énfasis en los juegos que tengan que ver con el garabateo, el rasgado, el arrugado, el punteo, el enhebrado, etc., en fin, con todo aquello que consideres que pueda ayudar al desarrollo de estas habilidades en el niño. También son notorios los adelantos en las demás áreas, por esa razón anotábamos que a partir de estos meses el niño te da señales, por su comportamiento, de que día tras día es más personita; casi siempre se detendrá a pensar antes de actuar y su lenguaje, aunque todavía gestual, incorpora cada vez más palabras concretas con las que se hará entender.

Su estado de ánimo será un poco más estable, pero las ambivalencias en su comportamiento y los cambios de humor aún se presentan, y su creciente independencia lo harán mostrarse ante ti como un ser rebelde y a la vez ávido de afecto, por esto es importante que los límites que anteriormente existían sigan vigentes y que el niño reconozca que el mundo no sólo existe para satisfacerlo a él.

Algunos padres, al llegar a esta edad, llevan al niño a un jardín infantil, encontrando para esta decisión diferentes y valederas razones, ya sea porque el niño no está bajo el cuidado diario de la madre, o porque esta trabaja, o porque concluyen que debido al movimiento permanente del niño éste necesita estar en un lugar donde pueda contar con un mayor espacio físico para desarrollar todas sus habilidades. Si este es tu caso, es importante que consideres que estos cambios son bruscos para el niño, ya que pasa de un ambiente familiar totalmente conocido a un entorno que en un principio le será extraño y ante el cual podrá presentar temor. Es preciso que lo prepares con tiempo hablándole acerca de qué es un jardín infantil; coloca ejemplos de niños que asistan a uno y permite que el niño vea salir y llegar otros niños, y si te es posible en el momento de ingresar acompáñalo durante algún tiempo (el que tú y las directivas del jardín consideren necesario) para que la familiarización con este nuevo sitio y personas que allí se encuentran le sea más fácil.

Estimulación directa

Estimulación motriz

1. OBJETIVO: perfeccionar formas diversas de locomoción.

a) Permite que el niño salte de un banquito más alto que en los meses anteriores. Llévalo al parque o al campo y déjalo, supervisándolo siempre, que salte pequeños obstáculos, de una piedra a otra, de una orilla a otra, por encima de un tronco, etcétera.(Ilustración No. 18).

b) Organiza juegos con el niño, por ejemplo poniendo almohadones apilados uno sobre otro como en forma de escalera, para que él pueda subirlo trepando. Puedes también dejarlo trepar a lugares no muy altos, que no ofrezcan mucho peligro, pero que le permitan desplazarse moviendo todo su cuerpo.

c) Juega con él a agacharse en cuclillas, anímalo para permanecer así sin caerse y a, si le es posible, intentar desplazarse en esta posición.(Ilustración No. 19).

d) Coloca en el piso unas cintas en forma de cruz, muéstrale al niño cómo caminar hacia adelante, hacia atrás, hacia los lados, sin salirse de la línea.

e) Forma en el piso un círculo con un cordel o una cinta, toma al niño de la mano y dale la vuelta al círculo. Anímalo para que lo haga solo.

2. OBJETIVO: reforzar el desarrollo de destrezas motrices.

a) Párate de frente al niño y anímalo a repetir los movimientos gimnásticos que tú realices, como por ejemplo brazos arriba, abajo, adelante, atrás, arrodillarse, pararse, pie adelante, pie atrás. (Ilustración No. 20).

3. OBJETIVO: perfeccionar los movimientos adaptativos de las manos.
a) Dale libros con páginas ya más delgadas, y llama su atención para que pase hojas una por una.
b) Pásale redondeles de diferente tamaño para que él ensarte en forma de collar. Ayúdale inicialmente.

4. OBJETIVO: estimular el desarrollo viso-motor.
a) Dale cucharas de diferentes tamaños, llénalas una vez con líquido, como jugos, sopas o agua, otras con alimentos sólidos como trocitos de pan, un poco de arroz, para que se las lleve a la boca. Ayúdalo si aún le cuesta dificultad.
b) Pídele que haga el mismo ejercicio, dándole a su muñeca, a su osito, etc.
c) Dale una revista para que pase páginas una a una.

Ilustración No. 18

Estimulación cognoscitiva

1. OBJETIVO: reforzar el aprendizaje de los colores.
a) Enséñale los colores de las cosas, insístele para que los identifique en diferentes objetos, pregúntale constantemente: "¿De qué color es la pelota?"; "¿De qué color es tu camisa?".
b) Haz unas tarjetas con los tres colores primarios (azul, rojo y amarillo), muéstrale cada una independientemente, verbalizando el nombre de cada color. Déjalas sobre la mesa y pídele que te alcance la roja, la azul, etc.
c) Dale libros para colorear, al comienzo pídele que pinte, a su manera, la figura completamente de un solo color; dale figuras para que trabaje un color cada vez.

Ilustración No. 19

d) Pásale bolitas para ensartar, de los tres colores, pídele que haga un collar, mientras tú le vas diciendo: "Vamos a ensartar las azules, después las rojas, etc.". Pídele luego que las saque de la misma manera (por colores).

2. OBJETIVO: desarrollar su comprensión espacial.

a) Continúa dándole cubos para armar, pero ahora ya puedes proporcionarle cuatro o cinco cubos para que arme torres en diferentes posiciones. Hazlo tú inicialmente para que luego él te imite.

3. OBJETIVO: introducir la noción de "delante".

a) Coloca al niño en un lugar determinado, explícale que todo lo que ve sin mover la cabeza está delante de él. Pídele que enuncie lo que ve; pregúntale por los objetos que estando delante de él, los ha omitido.

b) Cuando estés comprando las boletas para el cine, o pagando en el supermercado, o en cualquier actividad en la cual se forme una fila de personas, muéstrale al niño cómo unos quedan detrás de otros y delante.

c) Repite estas actividades cambiando de posición, de manera que lo que esté delante quede atrás. Haz esto mismo en otras posiciones, derecha, izquierda, hasta que el concepto delante quede claro.

d) Pídele que palmee adelante.

4. OBJETIVO: introducir la noción de "atrás".

a) Enséñale el concepto de atrás en oposición al de adelante. Explícale que atrás están todas las cosas que no ve.

b) Pídele que intente dar palmadas atrás.

c) Da palmadas en una y otra dirección y pídele al niño que te diga en qué dirección se dieron.

5. OBJETIVO: conocer todas las partes de su cuerpo.

a) Continúa con los ejercicios anteriores sobre el reconocimiento de las partes de su cuerpo, pregúntale constantemente por ellas, haz énfasis en las que aún no reconoce o nombra. Pídele que las señale en su propio cuerpo, en el de otras personas, y en sus muñecos.

Estimulación del lenguaje

1. OBJETIVO: incrementar la capacidad para nombrar correctamente los objetos.

Ilustración No. 20

a) Coloca sobre una mesa diferentes objetos conocidos y déjaselos ver, después cúbrelos con una tela y pídele que te dé el nombre de los objetos que hay debajo; inicia primero con un objeto, luego con dos y así sucesivamente.
b) Muéstrale algunas imágenes de objetos familiares, como cucharas, carros, animales, etc., y pídele que te diga cuál vio.

2. OBJETIVO: estimular la expresión verbal de necesidades.
a) Cuando el niño esté comiendo, enséñale a decir: "Quiero más; ya acabé; dame arroz".
b) Usa siempre expresiones de sensaciones y emociones con sus gestos correspondientes como "tengo frío; tengo calor; estoy triste; etc.".

3. OBJETIVO: aumentar su comprensión verbal.
a) Cántale al niño rimas y canciones sencillas y cortas; cuéntale historias bonitas sobre las cuales puedes hacerle algunas preguntas sencillas o invitarlo a terminar una frase.

4. OBJETIVO: estimular el uso del SI y el NO con sentido.
a) Pregúntale por algo que tú sabes que él responde afirmativamente, como por ejemplo: "¿Quieres helado?"; ¿"Quieres ir al parque?". Hazlo igualmente con el NO, pregúntale: ¿Quieres ir a la cuna?", con seguridad te contestará que NO.

5. OBJETIVO: articular frases cortas y complejas.
a) Léele un cuento que al niño le llame la atención, pregúntale sobre alguna acción del mismo, motivándolo a que haga pequeños relatos.
b) Hazle dos preguntas al tiempo sobre alguna actividad: por ejemplo, si ha estado en el parque, pregúntale: "¿Qué viste en el parque?; ¿Te subiste en el columpio?".

6. OBJETIVO: reforzar la expresión del posesivo.
a) Juega continuamente con el niño a que esto es "mío" o "tuyo", jala cuando diga mío.
b) Toma el juguete preferido del niño y pregunta, "¿de quién es este perrito?", refuerza cualquier manifestación del niño que denote expresión de posesivo; ahora toma un objetro tuyo bastante familiar para el niño y dile, "esta cartera es MIA". Repite este ejercicio con varios objetos.

Estimulación socio-afectiva

1. OBJETIVO: reconocer y ubicar su núcleo familiar.
a) Conversa con él sobre las actividades de cada miembro de la familia. Ejemplo, papá trabaja en la oficina, el tío Andrés construye edificios.
b) Preséntale láminas, fotografías, o películas sobre diversas ocupaciones de la familia, conversa con él sobre lo que ha observado y pídele que te diga las ocupaciones de cada uno de los miembros de su propia familia.

2. OBJETIVO: fomentar conductas de independencia.
a) Haz con el niño una competencia sobre el desvestirse en la que gana el que más prendas se quite, ayúdale cuando se le dificulte quitarse alguna.
b) Anímalo para que coma solo y utilice la cuchara y el tenedor correctamente.

3. OBJETIVO: estimular la expresión adecuada de emociones y sentimientos.

a) Muéstrale cómo hay situaciones que generan diferentes emociones, por ejemplo: cuando el niño logra hacer algo que la mamá esperaba, ella se pone muy contenta; cuando el niño hace "un daño", la mamá se pone triste.

4. OBJETIVO: interesarse por la música.

a) Coloca diferentes melodías y explícale algo acerca de ellas, por ejemplo, quién la interpreta, cómo puede seguirse con el cuerpo el ritmo, etc.

Programación Semanal de Estimulación ● Mes Diecinueve

Días / *Areas de estimulación*	*Lunes*	*Martes*	*Miércoles*	*Jueves*	*Viernes*	*Sábado*
Estimulación motriz	1a; 1c; 2a; 3b; 4b	1b; 1d; 3a; 4a	1c; 1e; 2a; 3b; 4b	1d; 1a; 3a; 4a	1e; 1b; 2a	1b; 1c; 3a; 4a
Estimulación cognoscitiva	1a; 1b; 2a; 3a; 4a; 5a; según la oportunidad	1a; 1b; 3b; 4b	1a; 1b; 2a; 3c; 4c	1c; 1d; 3a; 3d	1d; 2a; 3c; 4a	1c; 4b
Estimulación del lenguaje	1a; 2b; 3a; 5b; 6b; 2a; según la oportunidad	1b; 3a; 4a; 6a	1a; 2b; 4a; 5b; 6b	1b; 2b; 5a; 6a	1b; 3a; 6a	2b; 4a; 5a; 6b
Estimulación socio-afectiva	1b; 2b; 3a	1b; 2a; 2b; 4a	1a; 2a; 2b; 3a	1a; 2b; 4a	1b; 2a; 2b; 3a	2b; 4a

Nota: Esta programación es sólo una guía, ya que muchos de estos ejercicios el niño los realizará espontáneamente en sus actividades diarias.
En esta programación aparecen ejercicios que se sugieren realices todos los días ya que corresponden a la estimulación de hábitos y rutina, que sólo pueden ser aprendidos mediante la repetición frecuente, los cuales aparecerán en el cuadro bajo la denominación "según la oportunidad".

Resumen del Mes Diecinueve

Peso	*Medida*	*Desarrollo motor*	*Desarrollo cognoscitivo*	*Desarrollo del lenguaje*	*Desarrollo socio-afectivo*	*Juguetes*
Niño 11.5 kg. Niña 11 kg	84 cm 81 cm	Perfecciona movimientos finos y gruesos. Ensaya formas diferentes de locomoción: trepar, saltar, brincar. Se mantiene en constante movimiento. Se lleva la cuchara a la boca con pocos errores. Ensarta redondeles en un palo. Pasa páginas de un libro. Hace trazos más firmes.	Piensa antes de actuar, sabe con más certeza lo que quiere y cómo lo quiere. Realiza dos órdenes al mismo tiempo. Construye torres de 4 ó 5 cubos. Manipula las figuras geométricas. Señala todas las partes de su cara. Identifica la mayor parte de los objetos familiares. Reconoce la noción del plano horizontal.	Incorpora a su repertorio anterior cinco o más palabras nuevas. Repite con sentido palabras como: ese, este, esta. Dice SI y NO con sentido. Su capacidad de asociación de palabras ha aumentado.	Se incrementa su independencia en algunos comportamientos, pues ya camina, se desplaza solo, puede alcanzar lo que quiere. Pero a la vez su dependencia en otros, ya que todavía siente temor porque algunas cosas del mundo aún le son desconocidas. Muestra cambios bruscos de humor. Es más colaborador con el orden. Le gusta estar con otros niños, pero aún no entabla una interacción activa.	Bancos, troncos. Almohadas (para trepar). Libros de páginas delgadas. Regalos para abrir. Redondeles de diferentes tamaños. Tarjetas de colores. Cubos. Cuentos. Canciones. Juguetes para apilar y encajar. Instrumentos de percusión. Títeres y marionetas. Piano o máquina de juguete para teclear. Puentes y toneles de plástico.

Registro de Evaluación Mensual

Semanas / *Areas de desarrollo y estimulación*	*Primera*	*Segunda*	*Tercera*	*Cuarta*
Desarrollo y estimulación motriz				
Desarrollo y estimulación cognoscitiva				
Desarrollo y estimulación del lenguaje				
Desarrollo y estimulación socio-afectiva				

Anotaciones para el próximo mes:

Mes Veinte

Características de desarrollo

Desarrollo motor

El control que el niño ejerce sobre su cuerpo ha venido alcanzando un mayor nivel de complejidad, el equilibrio es un factor que comienza a ser algo de suma importancia para él, ya que su caminar es rápido, esforzándose por subir cuatro o cinco escalones sólo con el apoyo de una mano, bien sea sostenida por la baranda o por la mano de un adulto; igualmente necesitará realizar giros bruscos sin caerse; mantenerse erecto sobre el escalón o silla a la que haya trepado. Prosigue perfeccionando su caminar hacia los lados y hacia atrás, deteniendo la marcha cuando piensa que va a perder el equilibrio y puede caerse. Será capaz, con ayuda y supervisión, de realizar estos ejercicios sobre una tabla, o sea, caminar hacia los lados y hacia atrás, pero cometiendo un buen número de fallas en ello.

Sus manos crean formas, apilan, dibujan y modelan, por ello le encanta mantener una búsqueda incansable entre los cajones, derramar y esparcir líquidos, revolver papeles, rasgar y garabatear sobre ellos, e intenta algunas veces colocarse los zapatos, las medias, los guantes, etc.

Llevar la cuchara hacia la boca con alimentos es ya casi un hábito en el cual existen pocos intentos fallidos; al patear la pelota su precisión es más perfecta; en fin, el control que ha adquirido sobre su cuerpo lo lleva a imitar con una buena coordinación ejercicios como levantar las manos y los brazos hacia arriba, cruzar los brazos.

Desarrollo cognoscitivo

El gran interés que mantiene por todas aquellas acciones que realizan los adultos a su alrededor y el intento constante de imitarlos, le están abriendo paso a un despertar más rápido de su nivel intelectual. Esto queda demostrado al comprobar que ya el niño con una mayor certeza es capaz de apilar en sitios diferentes los objetos similares, sacar objetos de un recipiente, obedecer dos y tres órdenes en una sola, como por ejemplo: ve a tu cuarto y del canasto de los juguetes saca la muñeca y traémela aquí.

Sus juegos de simulación o de ilusión, como por ejemplo el pasear, alimentar o bañar a su muñeco, le siguen permitiendo experimentar por sí mismo el mundo que le rodea, ampliando la visión que de él tiene, ya que esta es una ejercitación total de su imaginación.

En este período se inicia la práctica y la comprensión de los conceptos de grande y pequeño, él aparea fichas u objetos de acuerdo con los colores (sólo lo podrá realizar con dos colores). Al imitar los trazos lo hace con una buena precisión, aumentando su capacidad de discriminación entre el cuadrado y el círculo.

Desarrollo del lenguaje

Con el transcurso de los meses, en este segundo año de vida el niño se ha ido inventando y perfeccionando diferentes formas para organizar y transmitir sus pensamientos, necesidades y afectos.

La comprensión del lenguaje está tan avanzada que le es posible reaccionar con movimientos sencillos al observar un gesto o escuchar una orden.

En los meses anteriores se había propuesto establecer palabras puente entre él y las personas que lo rodean cotidianamente, como por ejemplo tete y agua, con las cuales denominará jugo, leche o líquido para tomar; estas aún no desaparecen, al contrario, pareciera que quisiera aumentar su número.

Sus balbuceos cada vez contienen más y más sílabas y una mejor entonación, estos normalmente se producen cuando el niño quiere expresar algo relacionado con la acción que está ocurriendo en ese momento; si tú continúas la conversación verás cómo el intenta responderte con sus jerigonzas.

Las palabras nuevas que incorpora a su repertorio, unas ocho o diez, continúan siendo concretas y simples, pero hacia finales del mes notará que agrupar dos o tres palabras con sentido se le facilita mucho más.

Desarrollo socio-afectivo

Su actual estado contradictorio de independencia-dependencia se va haciendo más flexible para abrir paso a la percepción de sí mismo como un ser total e independiente. Como característica sobresaliente aparece en este mes el "mío, yo, y quiero", aunque aún no las pueda expresar bien verbalmente, se notará en su actividad social. Todavía es incapaz de mantener un juego compartido con niños de su edad, aunque lo puede realizar con sus padres o personas cercanas a él.

Para poder iniciar las normas de socialización, sobre todo en los juegos, el niño necesita saber que aquí existen reglas para cumplir, y que la mejor manera de hacérselo entender es por medio del juego. Esto le permitirá estar durante mucho más tiempo cerca de otros niños sin invadir con su egoísmo la independencia de estos.

Su poca tolerancia a la frustración lo hará parecer en ciertas oportunidades como un niño llorón. Ya no soportará ser sometido o forzado a volver a la pasividad.

Sus manifestaciones de celos o gestos de ira continuarán presentándose, sobre todo si encuentra un público que las observe y a la vez, sin querer, se las festeje.

También sus manifestaciones de alegría y placer necesitan ser escuchadas, atendidas y alabadas, ojalá por un público atento y para cada una de sus manifestaciones afectivas.

Su colaboración en los quehaceres de la casa ha aumentado, recoge gran parte de sus juguetes y los lleva al sitio correcto, pero aún bajo la supervisión de la madre; al quitarse por sí solo las medias, zapatos, guantes o gorros está facilitando la labor de la madre. Sus comedias al no querer ser cambiado, bañado, alimentado, etc., irán disminuyendo en tiempo y ruido.

Come solo, sobre todo si son líquidos; continúa abrazando, acariciando y besando a su muñeco preferido.

Progresa en el control de esfínteres diurno, ya que se aproxima a la maduración necesaria para ello en su organismo.

Intervención general

Muy seguramente en el transcurso de estos meses tú has podido comprobar que durante todo el tiempo el niño ha entendido más de lo que podías imaginar. Por esto es importante hacer énfasis en no desaprovechar cada oportunidad para enseñarle y hablarle acerca de lo que está sucediendo; repetirle correctamente las palabras que él desea pronunciar, más que imitar su media lengua, y ser más consciente de que el niño necesita interactuar y compartir con niños de su edad para ampliar su desarrollo social, cognoscitivo, motor y el de lenguaje.

Si el niño ha ingresado a un jardín infantil podrá mostrar cambios en su comportamiento, debido a que se está enfrentando a situaciones nuevas que le pueden producir temor o angustia, en ocasiones sentirá que tú eres la culpable de ello y podrá mostrarse rebelde, en especial contigo; igual podrá negarse a asistir nuevamente al jardín. Estas situaciones deberás manejarlas con especial cuidado y cariño, haciendo que el niño se sienta seguro y no obligado a enfrentarlas, presentándoselas como una buena experiencia en la cual encontrará nuevos amigos con quien compartir y aprender diferentes juegos.

También es importante que en estos meses incrementes en lo que te sea posible sus sesiones diarias de juego, porque es mediante éste que el niño aprende a desarrollar aún más su creatividad, sus habilidades y reconocer que se encuentra situado en un medio ambiente que requiere por su parte del cumplimiento de ciertas normas.

Enséñale a compartir con los demás niños sus pertenencias, para que así aprenda a superar sus actitudes egoístas; también puedes iniciar un adecuado manejo de sus rabias enseñándole que las pataletas no son el medio para lograr lo que él desea; de la misma manera puedes hacerle entender que tú necesitas cierto tiempo para ti y que no puedes ocuparte todo el día sólo de él.

Lo anterior lo lograrás imponiendo desde una temprana edad límites que el niño pueda asimilar, sin convertirte en una madre excesivamente limitadora, recuerda que el niño mediante la exploración es como aprende.

A partir de los 22 meses es cuando el niño se encuentra preparado orgánicamente para poder llevar a cabo un adecuado control de esfínteres; pero en el momento que tú consideres adecuado podrás hablarle y mostrarle cómo se logra este control, por eso puedes desde este mes o desde los meses anteriores señalarle que el orinal es para orinar y defecar, y familiarizarlo con él.

Estimulación directa

Estimulación motriz

1. OBJETIVO: lograr buen equilibrio en posición de pie.

a) Párate frente al niño y demuéstrale cómo sostenerse en el pie derecho, levantando el otro pie; agárralo de la mano para que él haga lo mismo.

b) Haz dos hileras de asientos, una frente a la otra, pídele que camine, agarrado de las manos, de lado por el espacio que queda entre fila y fila.(Ilustración No. 21).

c) Pon sobre el piso una tabla de 30 centímetros de ancho, anímalo para que la recorra, caminando hacia atrás.

d) Continúa estimulándolo para que baje y suba escaleras, permítele que lo haga solo, apoyándose en la baranda, si el lugar no ofrece mayor peligro.

2. OBJETIVO: perfeccionar los movimientos adaptativos de las manos.

a) Enséñale a quitarle el papel, en un principio, a regalos de tamaño grande, y poco a poco vas disminuyendo el tamaño del objeto envuelto, para que hacia finales del año sea capaz de quitarle completamente la envoltura a un dulce.

3. OBJETIVO: estimular destrezas de motricidad fina.

a) Dale al niño un objeto ensartado en una cuerda, cuyo extremo tenga un nudo fácil de deshacer, deja que él manipule el objeto y trate de sacarlo y así busque el medio de desatar el nudo.

b) Dale frascos con bocas de diferentes tamaños para que enrosque y desenrosque; ponlos en desorden para que el niño encuentre la tapa que corresponde a cada frasco.

c) Anímalo a abrir y cerrar cremalleras de diferente tamaño, dale unas sueltas y otras en distintas prendas, por ejemplo que abra y cierre la cremallera de un pantalón, de una chaqueta, de una

Ilustración No. 21

cartera, etc. Haz lo mismo para abotonar y desabotonar.

d) Dale pinturas, lápices y crayolas, y permite que pinte libremente.

Estimulación del lenguaje

1. OBJETIVO: aumentar el interés por el lenguaje y sus conductas comunicativas.

a) Permite que el niño trate de contar sus experiencias, escúchalo. Si no trata de contarte nada pregúntale ¿qué estás haciendo?; ¿qué te pasó?; ¿a quién viste en el parque?

2. OBJETIVO: desarrollo del lenguaje expresivo.

a) Pídele al niño que haga caras de contento, aburrido, triste, de susto, de sorpresa. Inicialmente tú tendrás que decirle cómo es, pero poco a poco él lo irá haciendo espontáneamente.

3. OBJETIVO: desarrollar el uso de pronombres.

a) Durante las conversaciones en las que el niño esté presente repite haciendo énfasis en los pronombres: TU quieres un dulce; EL se llama Juan; NOSOTROS vamos al parque.

b) Haz preguntas frecuentemente al niño a las que él tenga que responder con pronombres; por ejemplo: "¿Quién se llama Andrés?, el niño contesta YO. ¿Quién es tu mamá?, contestará TU".

Ilustración No. 22

Estimulación cognoscitiva

1. OBJETIVO: estimular la imitación de acciones de adultos.

a) Cada vez que vayas con el niño a algún lugar háblale acerca de lo que hacen las personas, por ejemplo, en el supermercado muéstrale lo que realiza el vendedor; en la calle, la función que tiene el policía, o el bombero, etc.

b) Muéstrale libros que aludan al oficio de las personas, el panadero, el carnicero, el doctor, la maestra, etc.

2. OBJETIVO: enseñar a diferenciar el tamaño de los objetos.

a) Con plastilina constrúyele objetos grandes y objetos pequeños, pídele que haga, con tu ayuda, por ejemplo, bolas grandes y después bolas pequeñas. Puedes hacerlo también con trozos de papel.

b) Lleva al niño de paseo y muéstrale casas, edificios, camiones, carros, nombrándole los grandes y los pequeños.

c) Preséntale otros niños y compara los diferentes tamaños.

d) Coloca varios objetos similares pero de diferente tamaño, por ejemplo cucharas, ve diciéndole, "dame la cuchara más grande; dame la más pequeña". Repite el ejercicio con frecuencia.

3. OBJETIVO: ubicar la posición de los objetos en relación con su cuerpo.

a) Pídele que sostenga un objeto delante o detrás de él (que no sea demasiado pesado).(Ilustración No. 22).

b) Aprovecha toda ocasión para indicarle la ubicación de los objetos con respecto a él, por ejemplo: mira, la pelota está a tu lado; tú estás frente a Andrés; el reloj está arriba de tu cabeza, etc.

4. OBJETIVO: aparear colores.

a) Da al niño fichas de colores primarios (amarillo, rojo y azul), ayuda a que el niño vaya diferenciando los colores, colocando a un lado las fichas de color rojo, en otro las de color amarillo, y aparte las azules. Luego pásale varias fichas y pídele que te entregue una y de acuerdo con el color señálale en qué lado deberá colocarla. Repite este ejercicio hasta que el niño pueda realizarlo por sí mismo.

b) En el mercado existen o tú puedes fabricar una lotería de colores colocando las fichas en grupos según los colores y dejando para el niño otro grupo donde se encuentren revueltos los colores; a medida que él te vaya entregando cada una de las fichas, pídele que las coloque en los grupos correspondientes de acuerdo con los colores. Utiliza inicialmente los colores primarios.

c) Aprovecha para decirle los colores de todas las cosas que ve cotidianamente, el saco, la camisa, el carro, etc.

5. OBJETIVO: reforzar la representación simbólica.

a) Ofrécele al niño un objeto que le llame la atención, estimúlalo a que lo examine y lo palpe, pídele que diga lo que es; luego invítalo para que lo reconozca con los ojos cerrados, mediante el tacto.

b) Llama la atención del niño para que observe durante un breve tiempo tres objetos colocados sobre una mesa, retíralos y pídele que los ordene como estaban.

6. OBJETIVO: desarrollar la capacidad de diferenciar figuras geométricas.

a) Facilítale al niño juguetes sencillos de encajar figuras geométricas (se consiguen de madera, plástico, etc., en el mercado), inicialmente comienza con el círculo, el triángulo y el cuadrado. Muéstrale cómo el círculo encaja en el orificio, dile varias veces "este es un círculo, mira cómo lo saco y lo encajo". Pídele que intente hacerlo, alaba cualquier acierto y vuelve a mostrarle cómo realizarlo correctamente. Haz lo mismo con las otras figuras.

b) Haz las figuras geométricas en cartulina, preséntaselas una por una para que repita su nombre, pídele que con el dedo siga el contorno de la figura que le presentes. Permite que el niño juegue y manipule las figuras.

c) Pega estas figuras en el piso y anima al niño a que camine sobre ellas.

Estimulación socio-afectiva

1. OBJETIVO: reforzar la independencia en las actividades de rutina.

a) Ponle pequeñas tareas relacionadas con el vestirse; por ejemplo, todos los días debe terminar de ponerse las medias completamente solo, u otra prenda que para el niño sea fácil y pueda realizarlo sin ayuda.

b) Desarrolla actitudes positivas hacia los hábitos alimentarios, asociando cada hora de la comida con cosas agradables, por ejemplo con música o contándole pequeñas anécdotas. Haz esto mismo con otros hábitos como los de aseo.

2. OBJETIVO: integrarse socialmente al ambiente.

a) Reúnelo frecuentemente con otros niños de su edad y muéstrale varias alternativas de juegos que requieran interacción. Como por ejemplo jugar a la rueda.

b) Permítele conocer diferentes ambientes, las actividades que desarrollan las personas. Ejemplo, la peluquería, el supermercado, el teatro.

3. OBJETIVO: manejar adecuadamente emociones.

a) Dedica tiempo al niño para ayudarle a manejar las nuevas situaciones que se le presentan. En algunos hogares en esta etapa aparece un nuevo hermanito, y el niño puede cambiar de temperamento; dale una explicación del nuevo bebé para que lo asuma como suyo y para que te ayude a cuidarlo.

b) Enséñale la manera como las personas expresan sus emociones, exagéralas para que el niño pueda apreciar la diferencia entre una y otra, por ejemplo, ante una situación jocosa ríe fuertemente, si algo te molesta muéstrale con un gesto muy marcado cómo te enojas.

c) Recibe con afecto todas las emociones del niño, tanto las que te agradan como las que te desagradan, recuerda que algunas cosas que para ti no son importantes, para el niño pueden resultar fundamentales.

d) Frente a un espejo haz diferentes expresiones: de alegría, tristeza, enojo, asombro, sorpresa, aprobación, desaprobación, etc. Pídele al niño que te imite y después que lo haga según lo que tú le vayas pidiendo.

Programación Semanal de Estimulación • Mes Veinte

Días / *Areas de estimulación*	*Lunes*	*Martes*	*Miércoles*	*Jueves*	*Viernes*	*Sábado*
Estimulación motriz	1a; 1c; 1d; 3d	1a; 1d; 3a; 3b; 3c; 3d	1a; 1d; 2a; 3b; 3d	1b; 1d; 3a; 3b; 3c; 3d	1b; 1d; 2a; 3d	1c; 1d; 3a; 3c
Estimulación cognoscitiva	2a; 3a; 4a; 5a; 1a; según la oportunidad	1b; 2b; 4b; 5b; 6a	2c; 3a; 4a; 5a; 5b	1b; 2d; 4a; 5b; 6c	2a; 3a; 4b; 5a	1b; 2b; 4c; 5a
Estimulación del lenguaje	2a; 3b; 1a; según la oportunidad	2a; 3b	3a; 3b	3a; 3b	3a; 3b	2a; 3a; 3b
Estimulación socio-afectiva	1b; 2b; 3a; 3d; 1a; 3c; según la oportunidad	1b; 2b; 3a; 3d	1b; 2a; 3a; 3d	1b; 2b; 3b	1b; 2a; 3b	1b; 2a; 3b

Nota: Esta programación es sólo una guía, ya que muchos de estos ejercicios el niño los realizará espontáneamente en sus actividades diarias.
En esta programación aparecen ejercicios que se sugieren realices todos los días ya que corresponden a la estimulación de hábitos y rutina, que sólo pueden ser aprendidos mediante la repetición frecuente, los cuales aparecerán en el cuadro bajo la denominación “según la oportunidad”.

Resumen del Mes Veinte

Peso	*Medida*	*Desarrollo motor*	*Desarrollo cognoscitivo*	*Desarrollo del lenguaje*	*Desarrollo socio-afectivo*	*Juguetes*
Niño 12 kg Niña 11 kg	85 cm 82 cm	El niño tiene mayor control sobre su cuerpo y sus movimientos. Sube con mayor rapidez e independencia las escaleras. Con sus manos apila, dibuja, moldea, rasga y garabatea. Camina hacia los lados y hacia atrás con mayor precisión y equilibrio. Hace trazos horizontales.	Se interesa por las acciones de los demás, y por tratar de imitarlas. Es capaz de apilar en sitios diferentes los objetos similares. Obedece dos y tres órdenes en una sola. Comprende la noción de grande-pequeño. Comienza a discriminar el cuadrado y el círculo.	Inventa y perfecciona diferentes formas para organizar y transmitir sus pensamientos. Maneja un número mayor de palabras con mejor entonación y vocalización. Mantiene aún las palabras "puente". (Una sola palabra tiene varios significados. Por ejemplo: *tete* significa teléfono, tetero, gaseosa).	Alcanza una percepción de sí mismo como un ser total e independiente. Manifiesta poca tolerancia a la frustración. Expresa sus sentimientos de manera externa: enojo, alegría, etc. Inicia su socialización en las normas de grupo. Permanece más tiempo con otros niños.	Frascos con tapas. Botones. Cremalleras. Plastilinas. Crayolas. Juguetes de diferente tamaño. Colores: amarillo, azul y rojo. Fichas de color. Figuras geométricas en diferentes tamaños y materiales. Juguetes para apilar y encajar cubos. Instrumentos de percusión. Títeres y marionetas. Rompecabezas de cara y cuerpo. Cajas de carpintería para clavar y destornillar. Barro, arcilla, pileta de agua, pileta de arena.

Registro de Evaluación Mensual

Semanas / *Areas de desarrollo y estimulación*	*Primera*	*Segunda*	*Tercera*	*Cuarta*
Desarrollo y estimulación motriz				
Desarrollo y estimulación cognoscitiva				
Desarrollo y estimulación del lenguaje				
Desarrollo y estimulación socio-afectiva				

Anotaciones para el próximo mes:

Mes Veintiuno

Características de desarrollo

Desarrollo motor

En este mes, gracias a la estimulación recibida, podrá subir y bajar más de siete escalones con la ayuda de una sola mano y de uno en uno, sin alternar los pies; intenta saltar de una altura baja sin ayuda, aunque no todas las veces lo logra sin golpearse. Se pone en cuclillas por un tiempo más largo; patea la pelota si se le pide; se agacha al jugar y camina con más precisión hacia atrás.

En cuanto a su motricidad fina, los avances son también significativos porque ya intenta, sin lograrlo, pasar los cordones de sus zapatos en el agujero de los mismos, seguirá trasladando objetos de un recipiente a otro, enroscando y desenroscando, vaciando, abriendo cajones, regando líquidos, se nota cómo intenta doblar con lógica un pedazo de papel, sus trazos continúan con más firmeza y también se mostrará más accesible a que tú le guíes la mano por un corto tiempo y tratar así de realizar trazos verticales y circulares, pues hasta este momento se le facilita sólo el trazo horizontal. La manipulación de la plastilina u objetos moldeables la realiza con más precisión, ya no sólo los separa y aprieta sino que también intenta hacer giros circulares con la mano.

Desarrollo cognoscitivo

El juego de manipulación constante, sobre todo el de continente y contenido o vaciar y llenar, le permitirán al niño afianzar sus incipientes conocimientos de grande, pequeño, vacío, lleno, arriba y abajo, adelante y detrás, etc., como también señalar dos o tres ilustraciones en un libro o revista.

Será capaz de ejecutar así mismo tres de cada cuatro órdenes que se le den de forma seguida, como por ejemplo: "Andrés ve al cuarto y tráeme el saco para colocártelo", parar la marcha si se le pide, construir torres de cinco o más cubos, imitar la elaboración de un tren juntando y empujando los cubos, hacer rodar la pelota hacia otra persona respetando y entendiendo ya las reglas del juego. Su período de atención ha aumentado notoriamente, al leerle la madre un cuento esta podrá avanzar más en la lectura del mismo y será atendida por el niño. Al igual que ya reconoce en su totalidad todos los objetos que le rodean, y aun algunos que solo ve esporádicamente, bien sea en la calle o en la televisión, son plenamente reconocidos por el niño. Si se le pregunta por un familiar ausente, el niño responderá con gestos que no se halla presente, esto confirma que posee una memoria mediata e inmediata de largo alcance.

Los diseños de las soluciones se producen en su mente antes de actuar y esto le permite, día tras día, inventar nuevas formas de combinaciones mentales, pasando así de un acto motor a la representación del mismo, como por ejemplo insertar el ángulo del cuadrado en la abertura adecuada.

Desarrollo del lenguaje

El lenguaje, a pesar de los avances, en la mayoría de los niños continúa siendo gestual, pero aquí se puede observar la comprensión del mecanismo propio del lenguaje, pues ya empezará a formar frases como "noquero", "etomalo" sin que nunca antes haya empleado la palabra malo por sí sola.

Los pronombres son de gran utilidad para el niño, la mayoría de las veces no utilizará artículos para acompañarlos, ejemplo "nené-come".

Puede decir más o menos unas 20 a 25 palabras claras y nombrar uno de cada cuatro objetos que se le señalen. Al tiempo que es capaz de repetir más de seis palabras simples por imitación y combinar espontáneamente dos o tres palabras concretas.

Desarrollo socio-afectivo

Su sociabilización se ha ido consolidando, ya acepta ver y participar con personas diferentes a su núcleo familiar; es capaz de compartir un poco más su comida y sus juguetes, sobre todo con su madre. Esto lo realiza mediante el juego de alimentar a mamá.

Es ahora cuando tiene una plena identificación entre otros con su madre y el papel tan importante que ella realiza, por ello en sus juegos no sólo trata de imitarla, sino también de sustituirla. Es el niño quien tiene igualmente la iniciativa de que su madre le coloque los zapatos, le ponga el saco, lo bañe, en fin todas esas tareas rutinarias a las que antes se negaba le son ahora más agradables y por ello facilita su realización.

Pero persisten las contradicciones porque siente la necesidad de hacer la mayoría de las cosas por sí solo, de reafirmar su yo y por ello decide llevar la contraria en casi todo lo que le solicitan. Su conducta es de oposición, por esto la madre deberá reducir las exigencias al mínimo, a lo estrictamente esencial, para que el día no se convierta en un abierto enfrentamiento entre el niño y sus padres, pero no dejando de imponer los límites que ya se encontraban establecidos.

Aunque se aferra a sus pertenencias y a los adultos que quiere, es más dado a aceptar la ausencia de los padres momentáneamente, aunque durante el lapso de la ausencia preguntará varias veces por ellos, así mismo acepta por más tiempo la compañía de otros niños y cada vez comparte un poco más sus juguetes (esto si el niño ha sido preparado para ello).

Si ha sido entrenado en el control de esfínteres diurno (se recomienda no hacerlo hasta los 22 meses, ya que es aproximadamente en este mes cuando el organismo del niño se encuentra maduro para ello) podrá pedir ir al baño.

Intervención general

A medida que el niño avanza en la vida va asimilando y entendiendo las experiencias del mundo que le rodean, volviéndose más ágil en la adquisición de sus habilidades, ya que alcanzar una destreza le sirve como punto de referencia para la siguiente. Pero habrá meses en que a los padres y sobre todo a la madre le parece que su hijo no avanza en una determinada área, por esto es importante tener en cuenta que no todos los niños poseen el mismo nivel de desarrollo y que muchas veces prefieren especializarse en un área, por ejemplo la motora, y dejar un poco de lado otra, como la de lenguaje, siendo esta área la que más necesita de tu estimulación.

También deberás poner en práctica toda tu imaginación para desarrollar con el niño juegos que le permitan poner en acción toda su capacidad de movimiento, subir y bajar escalones podrá ser un juego, saltar de una silla, subir sardineles, colocarse la ropa, quitarle la envoltura a un regalo, en fin, toda acción que el niño pueda realizar o quieras enseñar, podrás presentársela en forma de juego para así tener su atención centrada en ello.

Recuerda que un niño creativo es un niño que desarrolla su inteligencia, esto es algo que tú puedes fomentar si logras interesar al niño en explorar, descubrir e inventar nuevas formas de alcanzar un mismo objetivo.

En este mes ayuda al niño a entender y manejar adecuadamente su esquema corporal, ya que es fundamental en la percepción del espacio y en la interiorización por medio de la cual el niño entiende que cada parte del cuerpo se ubica en relación con las otras, siendo la base para la construcción de la lateralidad y la interiorización de los conceptos de arriba-abajo, etc.

No olvides que a esta edad el niño tiene sus propios proyectos y una incipiente conciencia de éxito y fracaso, ayúdalo a llevar a cabo sus aspiraciones y enséñale que el fracaso no es sinónimo de no se puede realizar, sino que más bien hay que hacer nuevos intentos y de una manera diferente para lograrlo.

Además su deseo de relación también ha evolucionado, no sólo se te acerca para que tú le des calor físico (besos, abrazos, etc.), sino que más bien tiene necesidad de que le hables, le escuches, que le ayudes, pero sin ocupar su puesto. Aceptando ensanchar su horizonte, interesándose por otros niños, otras personas y establecer con ellos nuevos tipos de relaciones, viendo así una nueva imagen de independencia en él.

En caso de que aún no hayas enseñado a tu hijo a controlar esfínteres, es a partir de este mes cuando deberás llevar a cabo el registro de las horas en que durante el día el niño orina, esto lo efectuarás los 15 días anteriores a la fecha fijada para iniciar el aprendizaje del control de esfínteres en el niño.

Estimulación directa

Estimulación motriz

1. OBJETIVO: estimular el manejo adecuado del cuerpo.

a) Haz juegos de pelota en los cuales el niño deba patear estando en un solo sitio, pero también en los que tenga que llevar la pelota con el pie al tiempo que va caminando.

b) También, a manera de juego, anima al niño para que ambos se pongan en cuclillas y juega a quién permanece más tiempo en esta posición.

c) Organiza competencias con otros niños, para que recorran una distancia corta saltando.

2. OBJETIVO: reforzar el equilibrio.

a) Pon en el piso unas cintas en forma de cruz, pídele al niño, en un principio con tu ayuda, que camine hacia los lados, hacia atrás, hacia adelante, sin salirse de la línea.

b) Pídele que vaya corriendo lo más rápido que pueda, por ejemplo a entregarle al papá las pantuflas; cuando esté en plena marcha, llámalo para que se detenga, en cuanto lo haga dile que salga corriendo de nuevo, así aprenderá a detener o avanzar la marcha, cada vez más sin perder el equilibrio.

3. OBJETIVO: estimular el desarrollo viso-motor.

a) Pídele que te ayude a ponerle los cordones a los zapatos, intenta al comienzo con unos que tengan los ojales grandes, poco a poco podrá hacerlo con agujeros más pequeños.

b) Traza en hojas de papel líneas en diversos sentidos, por ejemplo, marca una con líneas horizontales de color rojo, otra vertical con color azul, muéstrale cómo doblar la hoja como indica la línea de color rojo, ahora dile que lo haga él solo; haz lo mismo con otras líneas.(Ilustración No. 23).

c) Dale plastilina o masa y pídele que te haga bolitas de diferentes tamaños.

d) Dale cuentos para colorear en los cuales haya objetos grandes y pequeños.

Ilustración No. 23

Estimulación del lenguaje

1. OBJETIVO: estimular el uso de frases.

a) Cada vez que el niño te exprese alguna necesidad, por ejemplo, que quiere agua, pero te dice "agua", dile la frase completa, satisface lo que el niño quiere sólo hasta que intente decirlo con una frase y no con una palabra.

b) Léele cuentos cortos y pídele en medio del relato que te cuente "qué pasó con el conejo, qué comió, etcétera".

c) Cuando el niño esté hablando con otra persona y utilice las palabras "puente", dile "la abuelita no te entiende, ¿qué es lo que quieres decir?".

2. OBJETIVO: estimular el uso de pronombres.

a) Antepone a todas las expresiones que el niño diga los pronombres, por ejemplo cuando te diga "quiero", dile claramente que repita contigo: "YO quiero"; si dice "sale", dile "ELLA o EL salen", etc.

b) En los cuentos, en las canciones, y en otras actividades nombra las personas con los pronombres, por ejemplo, ELLOS comieron, NOSOTROS salimos de paseo, TU abuelita te quiere mucho, EL se llama Andrés.

3. OBJETIVO: aumentar el repertorio de palabras.

a) Haz una lista de las palabras que el niño pronuncia de manera incorrecta, escoge todos los días una y utilízala adecuadamente durante todas las actividades del día.

b) Haz el mismo ejercicio pero ahora utilizando palabras que son nuevas para el niño.

Estimulación cognoscitiva

1. OBJETIVO: ejercitar la percepción del color.

a) Muéstrale al niño objetos de color rojo, repite este carro es rojo, la pelota también es roja, etc. Invítalo, luego, a localizar objetos del mismo color en la habitación. Haz lo mismo con el color azul y después con el amarillo.

b) Da al niño tres cajas, una de fondo azul, otra de rojo y otra de amarillo, enséñale cómo meter los objetos de colores similares en el color correspondiente.

c) Ofrécele al niño cordones de diferentes colores para que ensarte redondeles de igual color.

d) Dale dibujos para colorear que no sean muy complejos, por ejemplo una pelota, una casa, etc. Pídele que pinte cada figura de un solo color: "Pinta toda la casa de verde; la pelota de rojo, etc.".

e) Entrégale tarjetas, cubos, pelotas, etc., del mismo color para que el niño encuentre el par.

2. OBJETIVO: ejercitar la constancia perceptual.

a) Dale la oportunidad de manejar objetos de diferentes tamaños, mientras le indicas cómo uno es más grande o más pequeño que el otro. Auméntale luego otros objetos que sean de tamaño mediano y haz el mismo ejercicio.

b) Coloca a un niño grande al pie de otro pequeño, muéstrale la diferencia entre ellos, después compáralos con uno mediano.

c) Coloca al niño una venda en los ojos, pídele que esté atento a lo que va a escuchar. Produce un sonido, por ejemplo silbar, y seguidamente un ruido, por ejemplo correr un mueble; ahora pregúntale en qué orden se produjeron. Repite la acción alterando e incorporando al orden nuevos sonidos y ruidos.(Ilustración No. 24).

3. OBJETIVO: reforzar la noción del tamaño.

a) Nárrale un cuento con láminas que hagan referencia a personas, animales y cosas grandes y pequeñas.

b) Muéstrale al niño, brevemente, tres figuras iguales, pero de distinto color, pídele que las enuncie.

Ilustración No. 24

Repite esta actividad con tres figuras iguales, de igual color, pero de distinto tamaño. Trata de que ubique en su memoria cuál es mayor, cuál la mediana y cuál la mayor.

4. OBJETIVO: estimular los conocimientos de los conceptos arriba-abajo; delante-atrás.

a) Esconde un objeto donde el niño lo pueda encontrar y pídele que lo busque. Verbaliza donde lo has escondido: "La pelota está arriba de la cama, el zapato está debajo de la cama, el carro atrás de la silla". Así el niño entenderá poco a poco qué quiere decir arriba-abajo, atrás-adelante.

b) Enséñale a realizar movimientos con su cuerpo y a conocer qué es arriba-abajo, etc. Ejemplo, trepar a la silla, estar arriba.

c) Mediante el juego con el balón podrás enseñar al niño a conocer los conceptos de arriba-abajo-adelante-atrás. Tira el balón en cada una de las direcciones señaladas, realízalo tú primero y luego enséñale cómo hacerlo él. Repite este ejercicio

Ilustración No. 25

Ilustración No. 26

cada vez que puedas, acompáñalo con expresiones verbales claras: "Ahora tiramos el balón ARRIBA, ABAJO, etc.".

d) Con un palo de escoba enseña a pasar al niño por arriba del palo colocándolo a una distancia corta del piso para que el niño pueda pasar sobre él. Colócalo después por encima del niño y pídele que pase por debajo.(Ilustraciones Nos. 25 y 26).

5. OBJETIVO: estimular el conocimiento de los conceptos de longitud (alto-bajo-largo-corto).

a) Utilizando los cubos puedes hacer torres altas y torres bajas, muéstrale la diferencia entre unas y otras. Realiza lo mismo con los trenes, armando trenes largos y trenes cortos, enséñale la diferencia.

b) Lleva al niño primero fuera de su habitación y dile: "Estamos fuera de tu cuarto, aquí fuera está la sala, el comedor, etc.". Llévalo fuera de la casa y muéstrale las cosas que están afuera: los árboles, los carros, los edificios, etc.

c) Haz juegos para que el niño alcance objetos que están altos y que están bajos. Muéstrale cómo cuando algo está alto él puede empinarse para alcanzarlo, mientras que si está bajo puede agacharse.

Estimulación socio-afectiva

1. OBJETIVO: estimular el control diurno de esfínteres.

a) Durante una o dos semanas lleva un registro de las horas en que el niño orina durante el día. Después de obtener esta información déjalo sin pañales y condúcelo al baño a las horas en que usualmente hace "pipí". Si el niño lo lleva a cabo en el sanitario, celebra eso de manera muy efusiva, pero si no, simplemente no le digas nada. Cuando se moje los pantalones, déjalo un rato sin cambiarlo, así sentirá la incomodidad y te hará saber que hizo "pipí". Repite esta rutina pacientemente, verás que poco a poco tendrá más control y avisará con mayor precisión.

2. OBJETIVO: estimular el desarrollo de actitudes de interacción.

a) Lleva al niño a lugares donde haya otros niños, facilita la interacción, pero dándole libertad a fin de que el niño utilice sus destrezas sociales para hacer nuevos amigos.

b) Organiza competencias o juegos en los cuales el niño tenga que participar activamente.

c) Enséñale al niño a compartir juguetes. Cuando esté con otros niños motívalo para que los intercambie, enséñale lo que significa compartir y ser generoso. Poco a poco el niño irá dejando su actitud egoísta y entendiendo que la interacción con otros requiere que él dé más de sí mismo.

3. OBJETIVO: estimular el manejo adecuado de situaciones.

a) Siempre que alguna circunstancia le genere al niño mal genio, contrariedad o disgusto, reconoce primero el derecho del niño a tener estos sentimientos, pero enséñale que hay diferentes maneras de expresarlos, por ejemplo, ante una pataleta, hazle ver, pasándola por alto, que no es la manera adecuada para manifestar su rabia.

4. OBJETIVO: manejar adaptativamente la ausencia de la madre.

a) Si tienes que dejar al niño por motivos de trabajo u otras razones, cuéntale un poco acerca de las actividades que tú realizas mientras no estás en casa y exprésale que aunque tú no estés lo piensas y estás atenta a todo lo que pueda sucederle; dale confianza y seguridad al niño diciéndole a qué horas vuelves, nunca lo engañes prometiéndole que no tardas si en realidad vas a estar mucho tiempo fuera de la casa.

Programación Semanal de Estimulación • Mes Veintiuno

Días / *Areas de estimulación*	*Lunes*	*Martes*	*Miércoles*	*Jueves*	*Viernes*	*Sábado*
Estimulación motriz	1a; 2a; 3c; 3a; según la oportunidad	1b; 2b; 3c	1c; 2a; 3b; 3d	1d; 1b; 2b; 3b	1c; 2a; 3c	1c; 2b; 3d
Estimulación cognoscitiva	1a; 2a; 3a; 4a	1b; 2a; 3b; 4b	1c; 2a; 3c; 4c; 4a	1d; 2b; 3d; 4a	1c; 2b; 3b; 4b	1a; 2c; 3d; 4c; 4a
Estimulación del lenguaje	1b; 2b; 3a; 1a; 1c; 3a; según la oportunidad	3a; 3b	1b; 2b; 3a; 3b	3a; 3b	1b; 2b; 3a	1b; 2b; 3a
Estimulación socio-afectiva	1a; 2a; 1b; 1c; 3a; según la oportunidad					

Nota: Esta programación es sólo una guía, ya que muchos de estos ejercicios el niño los realizará espontáneamente en sus actividades diarias.
En esta programación aparecen ejercicios que se sugieren realices todos los días ya que corresponden a la estimulación de hábitos y rutina, que sólo pueden ser aprendidos mediante la repetición frecuente, los cuales aparecerán en el cuadro bajo la denominación "según la oportunidad".

Resumen del Mes Veintiuno

Peso	*Medida*	*Desarrollo motor*	*Desarrollo cognoscitivo*	*Desarrollo del lenguaje*	*Desarrollo socio-afectivo*	*Juguetes*
Niño 12 kg Niña 11.5 kg	86 cm 83 cm	Sube y baja más de siete escalones con la ayuda de una sola mano y de uno en uno. Salta de alturas bajas. Intenta pasar los cordones por los agujeros de los zapatos. Traslada objetos de un lugar a otro. Intenta realizar trazos verticales y circulares. Puede parar la marcha.	Afianza nociones de vacío, lleno, arriba, abajo, adelante, atrás. Ejercita tres órdenes que se le den consecutivamente. Construye torres de cinco o más cubos. Ha aumentado su período de atención, si se le lee un cuento, podrá estar atento por más tiempo.	Comienza a formar frases en su lenguaje como: "no quelo", "esto es malo". Comprende los pronombres. Dice 15 palabras claras. Nombra uno de cuatro objetos que se le señalen. Repite de manera consecutiva más de seis palabras simples por imitación.	Su socialización se ha ido consolidando, comparte con personas diferentes de su familia. Tiene una plena identificación con su madre, por esto en sus juegos trata de imitarla y a veces sustituirla. Puede aceptar con más tranquilidad las separaciones, al tiempo que accede a la compañía de otros niños.	Redondeles y cordones. Caja con fondo en color. Crayolas. Papel. Colores. Cubos. Pelotas. Palo de escoba. Cuentos. Canciones. Juguetes para apilar y encajar. Instrumentos de percusión. Títeres y marionetas. Fichero de imágenes.

Registro de Evaluación Mensual

Semanas / *Areas de desarrollo y estimulación*	*Primera*	*Segunda*	*Tercera*	*Cuarta*
Desarrollo y estimulación motriz				
Desarrollo y estimulación cognoscitiva				
Desarrollo y estimulación del lenguaje				
Desarrollo y estimulación socio-afectiva				

Anotaciones para el próximo mes:

Mes Veintidós

Características de desarrollo

Desarrollo motor

El avance en esta área, a pesar de lo complejo que viene siendo para el niño, no es tan notorio como en los meses del primer año, ya que en esta época él se ha dedicado a consolidar cada uno de los movimientos que le posibilitan realizar una mejor marcha con equilibrio y seguridad, caminar hacia adelante, hacia atrás, hacia los lados, en círculo, correr y poder detenerse ya sin temor a las caídas, trepar a sillas o escalones cada vez más altos (pero utilizando algunas veces los dos pies para llegar a cada peldaño) y tratar sin temor de saltar de esas alturas a donde ha escalado, aunque aún no lo logre.

Todo lo anterior le ha permitido al niño tener un mejor ritmo en su caminar y así interiorizar las nociones de velocidad en la marcha (lento o rápido).

La motricidad fina, sobre todo la prensión en el agarre, es tan compleja que los objetos pequeños que antes le costaban algo de trabajo manipular en todas las formas que él deseaba, ahora no sólo lo puede realizar, sino que con su inventiva logra causar asombro en las personas que le rodean por la manera en que los manipula uno por uno y en conjunto. También conseguirá, y de acuerdo con su entrenamiento, lanzar y hacer rodar la pelota con las dos manos, aunque aún le falte algo de precisión al realizarlo.

Será capaz de alinear los cubos para construir un tren, pero sólo si tiene un modelo para imitar.

Desarrollo cognoscitivo

El aumento en sus vivencias de oscuridad y luz (día y noche) le permiten iniciar la toma de conciencia del paso del tiempo. Esto pone en práctica su noción del pasado, por ejemplo: si los padres le hacen referencia a cosas vividas, vistas u oídas, el niño podrá, por medio de gestos o de su lenguaje verbal, demostrar que recuerda estos eventos. De esta manera también estamos ayudando a que en el niño se vaya formando el concepto de futuro (esta noción realmente tardará en ser comprendida por él).

Sus esquemas de conducta se encuentran casi del todo interiorizados y le resulta más fácil llegar a la solución de algunos problemas que se le presentan, gracias a que puede imaginar el resultado obtenido por la acción. Igualmente se consolida su comprensión de las reglas de juego en grupo.

El concepto de "uno o muchos" está más afianzado, al igual que "grande o pequeño, adentro y afuera, detrás y adelante". El reconocimiento de objetos sigue en avance constante y cada vez le es más sencillo realizarlo.

La construcción de torres de cinco o seis cubos sigue siendo algo fascinante para él, reconoce y utiliza, ahora sí, el triángulo y el hexágono, logrando con más precisión encajarlos en los orificios correctos.

Desarrollo del lenguaje

En este mes se hace más evidente la utilización del plural en el lenguaje verbal del niño, ya es capaz de señalar, y si es el caso, nombrar varios objetos de una misma categoría, ejemplo: cubos, vasos, cucharas, etc.

Su vocabulario es de unas 15 ó 20 palabras, entre las que combinará espontáneamente dos o tres de las mismas para construir alguna frase, ejemplo: "Andrés se pone los zapatos".

La imitación de ciertas palabras concretas o de frases de no más de dos palabras es casi del todo correcta. Repite y repite hasta el cansancio las palabras que le son más fáciles de pronunciar.

Su media lengua o jerigonza va desapareciendo día tras día.

Desarrollo socio-afectivo

El avance en el desarrollo social lo llevará a conductas como empujar a cualquier persona, no necesariamente un familiar, hacia el sitio que él desea para mostrarle algo. La acción de imitación ya no sólo se llevará a cabo en las labores domésticas, sino también en sus tareas de aseo personal, le será fácil intentar lavarse la cara, los dientes, untarse crema, etc., por sí mismo.

La relación con familiares y padres se da con un incremento en las demostraciones afectivas, su deseo es que le "ayuden a crecer", permitiéndole cada vez un mayor grado de independencia en sus vivencias cotidianas.

El miedo a las separaciones, a las situaciones nuevas, etc., continúa en el niño, pero si las madres conocemos que este se produce, es posible manejarlo adecuadamente familiarizándolo poco a poco con aquellos objetos o sonidos que causan este efecto en él, por ejemplo: durante el día ha observado cosas que no corresponden a su lógica cotidiana, como la aparición de repente de un payaso. Así nos evitaremos el que esa noche al ir a la cama el niño se muestre ansioso e irritable.

En los juegos con otros niños su actitud sigue siendo muy personal, juegan uno al lado del otro pero no juntos, y si acaso lo hacen será por poco tiempo.

Puede iniciar su control voluntario de esfínteres, ya que su sistema orgánico se encuentra maduro para lograr este objetivo; durante los meses anteriores algunos han logrado conseguirlo, pero realmente su organismo no se encontraba preparado para ello.

Intervención general

Desarrollar la creatividad del niño es algo fundamental, ya que el niño no es sólo un receptor, sino también un emisor de respuestas y por cierto muy elaboradas, ante situaciones nuevas o complejas. Por eso es indispensable enseñarle que para conseguir un objetivo existen diversas maneras de lograrlo, que un mismo juguete sirve para diferentes usos, en fin, demostrarle que pensar antes de actuar le dará soluciones emocionantes a sus problemas.

Una manera de lograr esto es programar actividades divertidas para ambos que se puedan realizar con el niño en el tiempo que se encuentra en la casa, como salir de paseo al parque y señalarle los animales, montar en los columpios, tener un rato de lectura, colorear, ensartar objetos, en fin, todas aquellas actividades que le impliquen al niño estar desarrollando sus capacidades, de esta manera estarás limitando el tiempo y los programas televisivos. Por las condiciones de vida actuales, muchos padres se sienten inclinados a dejar bajo el cuidado de la televisión de sus hijos, olvidándose de que este aparato no es un ser humano y que por lo tanto no podrá responder, ni jugar con el niño cuando este así lo requiera, como tampoco podrá fomentar en él el desarrollo de su creatividad.

Recuerda que leerle, hablarle, hacerle preguntas, propiciar el encuentro con otros niños, lo incita a comunicarse por medio del lenguaje hablado.

El miedo ante sucesos inesperados o nuevos continúa presentándose en el niño, muchas veces no sabrás diferenciar si al acostarse o al levantarse llorando por la noche después de dormido será porque desea estar acompañado o jugando, o por miedo. Para evitar que esto se convierta en algo desesperante para ti y para el niño, te aconsejamos que ante cosas extrañas trates de estar al lado de él y explicarle por qué están sucediendo; al igual que antes de acostarlo le leas algún cuento que le agrade y le expliques que llegó la hora de descansar, pero que por eso no va a estar solo y que siempre habrá alguien pendiente que llegará en el momento en que él lo necesite.

En este mes deberás iniciar el control diurno de esfínteres de la orina en el niño; para lograrlo de una manera armónica y no traumatizante te sugerimos lo lleves a cabo mediante el registro diario de las horas en que normalmente orina, registro que debe ser tomado durante las dos semanas anteriores al momento en que se va a comenzar el control del esfínter en el niño y así empezar a llevarlo al baño en esas horas. Evita hacer comentarios negativos si el niño no es capaz de orinar en ese momento. Este es un proceso que requiere un mínimo de 20 constantes días para poder ser aprendido por él.

Estimulación directa

Estimulación motriz

1. OBJETIVO: afianzar su desplazamiento seguro.

a) Traza líneas en el piso (si prefieres puedes pegar cintas que se zafen fácilmente) en diferentes direcciones y pídele al niño que camine por ellas sin salirse. Hazlo a manera de juego, y premia los aciertos.

b) Hazle puentes y túneles con cajas de cartón y motívalo, colocándote tú en el otro extremo, para

Ilustración No. 27

que los pase de un lado a otro, así su equilibrio y manejo del cuerpo será cada vez más seguro.(Ilustración No. 27).

c) Aprovecha los andenes angostos para caminar de lado. Tómalo de las manos con el cuerpo mirando hacia ti, dale confianza para que se desplace hacia los lados mirándote a ti y no al piso. Poco a poco su andar será más seguro.(Ilustración No. 28).

Ilustración No. 28

d) Repite el ejercicio anterior, pero dando marcha atrás.

2. OBJETIVO: estimular el salto.

a) Coloca un juguete que al niño le guste en una parte alta, pero que el niño pueda alcanzar, motívalo para que salte hasta atraparlo; puedes ir graduando la altura a medida que el niño pueda saltar más alto.

b) Aprovecha los andenes, las escalas, los bancos, para motivar al niño a saltar; en esta edad el niño querrá saltar a toda hora, por esto es importante darle la oportunidad de hacerlo cada vez que puedas y supervisarlo para que no sufra caídas o accidentes, recuerda que aún no puede hacerlo perfectamente.(Ilustración No. 29).

Ilustración No. 29

3. OBJETIVO: desarrollar la capacidad para graduar la velocidad de la marcha.
a) Cuando lo lleves al parque, anímalo a correr, empieza haciéndolo lentamente hasta llegar a realizarlo lo más rápido que pueda.
b) Tómalo con otra persona de la mano y corre alternadamente, unas veces rápido y otras despacio, repite verbalmente la velocidad que llevas.

4. OBJETIVO: afianzar el control viso-motor.
a) Siéntate en el suelo, junto con otra persona, pon el niño en el centro y pídele que mande la pelota a cada uno de ustedes.
b) Dale cubos para armar y pídele que construya una figura como la que tú le muestres (este modelo debe ser claro y sencillo).
c) Pídele que rasgue el contorno de una figura, al principio necesitará ayuda.
d) Ayúdalo primero a pintar con pintura líquida, libremente con la yema de los dedos, después hazlo en forma dirigida.

5. OBJETIVO: afianzar la capacidad para manipular objetos pequeños.
a) Dale un puñado de objetos pequeños, como piedritas, granos, bolitas de icopor, pídele que te entregue uno por uno, luego de a dos o de a tres, después todo el grupo.
b) Haz este mismo ejercicio, pero ahora no que te lo pase a ti, sino que lo haga pasándolo él mismo de una manito a la otra.

6. OBJETIVO: enseñar al niño a realizar trazos circulares.
a) Facilítale una crayola y papel, dirigiéndole su mano ayúdale a hacer trazos circulares, imita dibujos como el humo que sale de un tren, las ruedas de la bicicleta.

7. OBJETIVO: estimular la variedad de movimientos y destrezas motrices.
a) Dale al niño objetos de variadas formas, pídele que los agarre, los suelte, los lance, los mueva con sus manos en varias direcciones, los pase de una mano a otra.

Estimulación del lenguaje

1. OBJETIVO: enseñar el uso del plural.
a) Siéntate con el niño y sobre una mesa coloca varios objetos iguales y de fácil agarre, por ejemplo crayolas, cucharas, etc. Coloca uno de estos objetos en un extremo y otro en el otro extremo; dile al tiempo que le señalas, "este es uno", llévale la mano para que toque el objeto; repite varias veces este ejercicio hasta que el niño haya comprendido el concepto. Pasa luego al otro extremo y reitera la misma actividad con el grupo de objetos.
b) Coloca frente al niño varios objetos similares y de fácil agarre para el niño y dile: "Entrégame UNO, dame MUCHOS". Inicialmente requerirá de tu ayuda y tendrás que repetir el ejercicio hasta que el niño logre realizarlo por sí mismo.

2. OBJETIVO: estimular la comprensión y expresión de objetos de una misma serie.
a) Reúne series de cosas iguales, por ejemplo: un grupo de cubos, otro de pelotas, de carros, etc., nómbrale cada uno de los elementos del conjun-

to; así, del grupo de los carros, dile, "este es un carro, aquel otro también, este amarillo con negro es otro carro y este de bomberos también es carro...", haz lo mismo con los otros grupos. Repite este ejercicio con frecuencia.

b) Una vez que veas que el niño ha comprendido revuelve algunos grupos y dile: señálame los carros que veas, luego las pelotas, y así sucesivamente.

c) Reúne series de cosas iguales, por ejemplo, platos, cubos, carros, pídele luego que te nombre verbalmente cada uno, mientras tú lo señalas; repite este ejercicio todas las veces que te sea posible.

3. OBJETIVO: incrementar el repertorio de frases y palabras.

a) Aprovecha toda tu imaginación y nárrale cuentos que atraigan su atención (no leer); explícale detenidamente sobre lo que veas que le va interesando en el relato, por ejemplo si te pregunta por el "conejo", dile cómo es, de qué color, dónde vive, qué come... continúa con el relato y al cabo de un tiempo corto pregúntale algo sobre el "conejo".

b) Haz este mismo ejercicio pero entonándole una canción.

c) Enséñale palabras nuevas, pronúncialas varias veces y utilízalas en distintas ocasiones, por ejemplo, si vas a enseñarle la palabra "sombrero", repítela en diferentes momentos, dile "este es un sombrero", "la niña tiene un lindo sombrero", "hoy papá se puso sombrero", "está lloviendo, puedes ponerte su sombrero". Haz este mismo ejercicio para incrementar el uso de frases.

d) Corrige las palabras que él pronuncia inadecuadamente y estimúlalo para que complete frases.

Estimulación cognoscitiva

1. OBJETIVO: reforzar la noción de largo y corto.

a) Llévalo al parque y pídele que recoja palos largos y palos cortos.

b) En su cuarto, solicítale que te señale los objetos largos y los objetos cortos.

2. OBJETIVO: completar el conocimiento de los colores.

a) Muéstrale los colores blanco y negro en diferentes objetos.

b) Hazle tarjetas blancas y negras y ponlas en una bolsa o caja, y pídele que te alcance alternativamente blancas y negras.

c) Dale un montón de cubos blancos y negros, y en forma de reto dile que tú armarás una figura con los bloques negros y él lo hará con los blancos, luego al contrario. Cuando el concepto esté claro, pídele que arme él solo primero unos y luego los otros.

d) Recórtale siluetas de diferentes colores; pídele después que pegue en un papel, primero las de color rojo, luego las de color verde, y así con los otros colores.

e) Dale cordones y redondeles de diferente tamaño, solicítale que ensarte en uno los objetos pequeños y en otro los más grandes.

3. OBJETIVO: reforzar la comprensión de la noción de figuras geométricas.

a) Dibuja un triángulo en el suelo y con tres palos cubre la figura, muéstrale cómo tiene tres lados porque sólo caben tres palos o tablas.

b) Dale una caja con objetos geométricos y pídele que busque los que tienen forma triangular.

c) Utiliza una caja con figuras geométricas para encajar, pídele que introduzca los triángulos.
d) Haz lo mismo con el cuadrado y con el rectángulo.

4. OBJETIVO: reforzar la comprensión de las nociones arriba-abajo.
a) Pídele que se coloque en diferentes posiciones: colócate arriba de la mesa, debajo de la mesa, arriba de la silla, debajo de la silla, etc.
b) Muéstrale en una lámina un objeto que está abajo y otro que está arriba, pídele que identifique la posición.
c) Tararéale canciones alusivas a las posiciones.

5. OBJETIVO: identificar objetos por sus semejanzas y diferencias.
a) Llena una caja con juguetes, escoge unos iguales y otros diferentes, juega con el niño a sacar los objetos e irlos agrupando según sean iguales o diferentes. Una vez el niño lo haya comprendido, pídele que lo haga él solo.
b) Hazle un collar con bolitas del mismo color y otro con bolitas de diferente color, repite el ejercicio anterior.
c) Muéstrale tres juguetes aparentemente semejantes (diferentes sólo por algunos detalles), para que el niño los identifique.

6. OBJETIVO: estimular la comprensión de las normas de grupo.
a) Organiza con el niño juegos sencillos, por ejemplo al escondite, explícale claramente la forma como funciona el juego, haz un ensayo para comprobar si comprendió. Realiza el juego y corrige todo comportamiento que se salga de las normas establecidas.
b) Propicia reuniones con otros niños y ayúdales a iniciar un juego, por ejemplo con la pelota, indícales cómo cada uno tiene un turno para tirarlo y debe respetar cuando le toque al otro. Obsérvalos e interviene cuando las normas establecidas sean pasadas por alto.

7. OBJETIVO: desarrollar la percepción de día y noche.
a) Establece rutinas que indiquen al niño que comienza o termina el día o la noche. Por ejemplo, puedes asomar al niño a la ventana todas las mañanas cuando se levante, explícale que es de día, hay luz y sale el Sol, los adultos se van a trabajar y los niños a estudiar. Igualmente con la noche, trata de ponerle su pijama a la misma hora todos los días y cuéntale que ya es de noche, está oscuro, sale la Luna, hay estrellas, papá o mamá llegan de trabajar.

Estimulación socio-afectiva

1. OBJETIVO: estimular su capacidad para desarrollar una secuencia de acciones.
a) Esconde un juguete y pídele que vaya a buscarlo, dile ahora que lo esconda él y que tú vas a buscarlo, simula que buscas y buscas, para que él te lleve hasta el lugar, si acierta refuérzalo efusivamente.
b) Empieza un cuento que el niño conozca, en la mitad del relato pídele que actúe lo que sigue en el cuento, por ejemplo, pregúntale cómo era que Caperucita llevaba los pasteles. Ayúdale, si no lo hace, dándole algunas pistas.

2. OBJETIVO: desarrollar hábitos de imitación.

a) Haz unas tarjetas con dibujos sobre los hábitos de limpieza, alimentarios, etcétera; por ejemplo, escoge el cepillado de los dientes, dibuja en una tarjeta cada uno de los pasos, así: una en donde el conejo toma el cepillo y la crema, otra en la cual se ilustra cómo ponerle la crema al cepillo,...etc. Muéstrale cada una de estas láminas por un tiempo determinado explicándole la acción, y luego le muestras toda la secuencia.

b) Muéstrale cómo los otros miembros de la familia llevan a cabo los diferentes hábitos, refuerza los intentos del niño por imitar estas acciones.

3. OBJETIVO: incentivar el control de esfínteres rectales durante el día.

a) Lleva durante una o dos semanas un registro de observación de las horas en que espontáneamente el niño defeca. Una vez hecho este registro, podrás conducirlo al sanitario en las horas en que normalmente defeca, déjalo cinco o diez minutos sentado en la taza, durante los cuales deberás acompañarlo y entretenerlo conversándole. Si logra hacerlo, alábalo, si no, no le digas nada. Trata de que el niño no esté durante este tiempo con juguetes y que siempre vaya al mismo sanitario para que lo asocie con esta actividad.

Programación Semanal de Estimulación ● Mes Veintidós

Días / *Areas de estimulación*	*Lunes*	*Martes*	*Miércoles*	*Jueves*	*Viernes*	*Sábado*
Estimulación motriz	1a; 2a; 3a; 4a; 5a; 6a; 7a; según la oportunidad	2b; 3a; 4a; 4b; 5b	1a; 2b; 4b; 4c; 5a	2b; 2a; 3b; 4d	1c; 2b; 3b; 5b; 6a	1d; 2b; 4d; 6a
Estimulación cognoscitiva	1a; 2a; 3a; 4a; 6a; 7a; según la oportunidad	1b; 2b; 3b; 4b; 5a; 6b	1a; 2c; 3c; 4c; 5b; 6a	1b; 2d; 3d; 4d; 5c; 6b	1a; 2c; 3a; 4c; 6a	1b; 3b; 4d; 6b
Estimulación del lenguaje	1a; 2a; 3a; 3d según la oportunidad	1b; 2b; 3b; 3c	1a; 2a; 3a	1b; 2a; 3b; 3c	1a; 2b; 3b	1b; 2c; 3c
Estimulación socio-afectiva	1a; 2a; 2b; según la oportunidad	1b; 2a	1a	2a	1b	

Nota: Esta programación es sólo una guía, ya que muchos de estos ejercicios el niño los realizará espontáneamente en sus actividades diarias.

En esta programación aparecen ejercicios que se sugieren realices todos los días ya que corresponden a la estimulación de hábitos y rutina, que sólo pueden ser aprendidos mediante la repetición frecuente, los cuales aparecerán en el cuadro bajo la denominación "según la oportunidad".

Resumen del Mes Veintidós

Peso	*Medida*	*Desarrollo motor*	*Desarrollo cognoscitivo*	*Desarrollo del lenguaje*	*Desarrollo socio-afectivo*	*Juguetes*
Niño 12.5 kg Niña 11.5 kg	87 cm 84 cm	Perfecciona movimientos que le permiten una mejor marcha con equilibrio y seguridad. Su prensión en el agarre es más compleja, manipula los objetos uno por uno y en grupo. Puede lanzar la pelota y hacerla rodar con las manos. Alinea cubos.	Comienza a tener la noción de "día" y "noche". Sus esquemas de conducta* están casi del todo interiorizados. Tiene una mayor comprensión de las reglas de juego en grupo. Tiene mayor conciencia de uno y de muchos, dentro y afuera. * Las diferentes formas de reaccionar.	Utiliza el plural con mayor frecuencia. Señala y nombra varios objetos de una misma categoría. Ejemplo: vasos, cucharas, carros, etc. Ha aumentado de 15 a 20 palabras. Repite y repite las palabras que más le gustan. Su jerigonza va desapareciendo.	Lleva a una persona hasta el sitio donde él desea mostrarle algo. Puede iniciar el control de esfínteres con bastante acierto. Inicia el aprendizaje de hábitos de aseo. Incrementa sus demostraciones afectivas, especialmente con sus familiares.	Lápices. Papel. Figuras geométricas. Cubos. Instrumentos de percusión. Títeres, marionetas. Puentes, túneles. Pileta de agua. Pileta de arena. Barro, arcilla. Cajas de carpintería para clavar y destornillar. Colores. Juguetes para apilar y encajar. Collages.

Registro de Evaluación Mensual

Semanas / *Areas de desarrollo y estimulación*	*Primera*	*Segunda*	*Tercera*	*Cuarta*
Desarrollo y estimulación motriz				
Desarrollo y estimulación cognoscitiva				
Desarrollo y estimulación del lenguaje				
Desarrollo y estimulación socio-afectiva				

Anotaciones para el próximo mes:

Mes Veintitrés

Características de desarrollo

Desarrollo motor

La motricidad gruesa presenta ya gran complejidad, baja y sube los escalones por sí solo apoyando únicamente una mano y de uno en uno, haciendo el intento de colocar sólo un pie por escalón.

El avance en la motricidad fina le permite doblar una hoja de papel intencionalmente y poder, con algo de imprecisión, quitarle la envoltura a un regalo o el papel que envuelve un dulce.

Desvestirse por sí solo sigue siendo una tarea que le agrada, quitarse los zapatos, medias, sacos, ya no tienen tanta dificultad para él.

El garabateo cuenta con un estilo casi definido, rasga y en ocasiones intenta puntear, la plastilina le ayuda a manipular y ejercitar sus movimientos manuales con gran precisión. Constantemente está construyendo, desbaratando, abriendo, cerrando, enroscando. En fin, sólo para esta acción cuando piensa.

Desarrollo cognoscitivo

La creatividad tiene un despliegue interesante ya que su imaginación no descansa; la coordinación de esquemas es mucho más rápida y su pensamiento utiliza representaciones simbólicas completas; así se le facilitará reconocer objetos mediante el tacto sin verlos y el conocimiento de la mayoría de las figuras geométricas. Armará torres de seis a siete cubos y apilará verticalmente los mismos.

El entendimiento de órdenes es cada día más complejo, podrá entender tres o cuatro órdenes sencillas que se den en un mismo momento.

Desarrollo del lenguaje

Su lenguaje verbal le permite comunicarse más intensamente con los adultos, puede utilizar hasta dos o tres frases seguidas, ejemplo: "Pon allí, no tene papos" (no tiene zapatos), al tiempo que puede identificar a otras personas por su nombre.

Su media lengua es cada vez más clara y en ella inserta la mayoría de las frases que pronuncia correctamente. El vocabulario ha aumentado de 20 a 25 palabras nuevas y pronunciadas casi correctamente, comprendiendo casi todo lo que se dice o se habla a su alrededor.

Desarrollo socio-afectivo

El niño en el transcurso de estos meses experimenta la necesidad de sentirse aceptado por sus padres "más por lo que es, y menos por lo que realiza o hace". Como recordaremos su necesidad de público para que le alabaran o festejaran sus acciones era de vital importancia para él, al igual que su creciente curiosidad y creatividad que lo llevan en ciertas ocasiones a realizar actos que le estaban prohibidos, más que todo por su propia seguridad. Como estas situaciones se incrementaron con su caminar seguro y su independencia, en muchas oportunidades el niño llega a sentir que sólo se le acepta si realiza actos agradables para sus familiares, ante todo a sus padres.

En esta etapa se manifiesta su autoproclamación de egocentrismo, todo el tiempo estará diciendo "Juan quiere agua", "Juan quita el saco", etc. Esto, unido a su independencia y un poco de egoísmo, lo mostrarán como un niño que sólo desea ser atendido continuamente. Es importante enseñarle que el mundo se encuentra compuesto no sólo por sus necesidades, sino también por las de las demás personas.

El control de esfínteres lo llevará a cabo de acuerdo con el entrenamiento que haya tenido; es importante tener en cuenta que le es más fácil el control de su orina que el de sus excrementos. A los 20 días de entrenamiento como mínimo, algunos niños ya podrán avisar cuando quieran ir al baño, sobre todo de día.

Intervención general

Para conseguir que el niño sea un ser creativo, necesitamos que tenga una atención y concentración adecuadas, y para lograr esto, el niño, a su vez, necesita que su madre le dé las herramientas necesarias, tales como proporcionarle material adecuado, organizar su habitación de tal manera que le sea fácil tener acceso a sus juguetes y a sus libros, darle sólo los juguetes de uno en uno, alternándolos, escondiéndolos, en resumen, enseñándole a explorar cada juguete y objeto que caiga en sus manos.

Supervisa los juguetes que mes a mes utilizará tu hijo, ya que con el transcurso de los meses algunos de ellos, como sus primeros sonajeros, no le son tan útiles como otros que sí realmente necesitará el niño para desarrollar las habilidades correspondientes a esta etapa, o hallarás que algunos son demasiado frágiles, pesados, grandes y en ocasiones peligrosos. Para realizar esta selección ten en cuenta que sean juguetes manejables, de forma y color agradables, que al jugar con ellos el niño pueda poner en marcha toda su imaginación, multiplicando las formas de manipulación, sin que vea limitada la utilización del mismo.

Es importante recordar que su capacidad exploratoria no se ha disminuido, por eso no te confíes dejando dentro de los cajones objetos con los cuales pueda hacerse daño, o escalones altos que el niño no haya subido o bajado antes sin tu ayuda o la de una baranda, o soltarlo de la mano en una avenida congestionada, en fin, deberás tener presente que aunque ya camina, corre, sube y baja, etc., aún no sabe diferenciar del todo bien qué situaciones le ofrecen peligro y cuáles no.

Existe entre los padres experimentados una afirmación: cuando el niño no se encuentra al alcance de tu vista y no se le escucha, es el momento de ir a averiguar que está haciendo. Y en cierta forma es cierto, pues al ir a su encuentro te darás cuenta de que tal vez está en el cajón que le has pedido que no abra, o en el gabinete del baño sacando todo lo que encuentre allí.

Habrás notado también que con el andar seguro de tu hijo el orden de tu casa y de su habitación es casi imposible mantenerlo; lo mejor ante esto es volverte un poco flexible y enseñarlo a recoger a su manera cuando termina de jugar.

Su naciente egocentrismo necesita ser canalizado y la mejor manera de lograrlo es incrementando sus contactos sociales con otros niños de su edad y con personas distintas de la familia.

Aunque se muestre orgulloso de manejar la taza y la cuchara, serás tú quien le deberá servir y darle la comida, es la única forma de ver que el niño sí se está alimentando correctamente.

Si aún no ha logrado aprender a controlar sus esfínteres, no te desesperes, hay niños que se toman más tiempo en conseguirlo; lo importante es que tú lleves a cabo un plan de registro consistente, colocándolo en el baño a las horas en que normalmente orina. Si el niño ha sido capaz de lograr su control de esfínter de orina, podrás iniciar el método de registro diario, y durante dos semanas, el del control del esfínter anal.

Estimulación directa

Estimulación motriz

1. OBJETIVO: lograr equilibrio en movimiento.

a) Enséñale a manejar el triciclo, muéstrale cómo se sube a él y ayúdale dándole seguridad. Pídele que apoye las manos en el timón y los pies en los pedales. Dale, cada vez que puedas, la oportunidad para que practique esta actividad.

2. OBJETIVO: desarrollar el salto.

a) Tómalo de las manos y ayúdalo a dar salticos sobre sí mismo utilizando las dos piernas a la vez.(Ilustración No. 30).

b) Muéstrale en láminas o en la televisión cómo saltan lo diferentes animales, estímulalo y ayú-

Ilustración No. 30

dalo para que imite el salto de los animales que conoce.

c) Aprovecha todos los lugares de la casa para permitirle al niño practicar el salto, tomando las precauciones necesarias. Utiliza, por ejemplo, un banco, un asiento, al piso. Celebra las veces que lo haga sin caerse.

3. OBJETIVO: afirmar la habilidad de trazo.

a) Dale al niño papel y crayolas para que raye, un rato después estimúlalo a trazar líneas horizontales de izquierda a derecha y de derecha a izquierda. Guía su mano una vez y luego pídele que lo intente solo, vuelve a guiarlo y nuevamente solo, etc.

b) Traza una línea en la mitad de un papel y muéstrale cómo doblarlo siguiendo el trazado.

c) Dale papel para que arrugue y haga bolitas; pídele que sostenga con una mano una bolsa y con la otra las vaya introduciendo, una por una.

d) Ofrécele papel para rasgar, déjalo que lo haga primero libremente, después pídele que rasgue en línea recta, en cuadrados, en círculo, en tiras largas, en tiras cortas, etc. Hazlo tú primero para que él te imite.

e) Dale papel y pinceles y solícitale que pinte con pincel una figura sencilla, dale al comienzo pinceles gruesos.

Estimulación del lenguaje

1. OBJETIVO: entablar pequeñas conversaciones.

a) Utiliza todas las circunstancias para entablar conversaciones con el niño, hazle preguntas, por ejemplo, "dónde está papá", "qué hace mamá", pídele algunas explicaciones y descripciones sobre lo que ve, siente y piensa. Si vas al parque, al cine, a una fiesta de niños, pregúntale siempre acerca de cómo se sintió, si estuvo feliz, contento, o triste y aburrido.

2. OBJETIVO: estimular el uso del plural.

a) En su cuarto reúne todos los carritos que el niño tenga, muéstrale uno por uno e indícale cómo todos reunidos conforman un grupo de MUCHOS carros. Haz este ejercicio con diferentes objetos, por ejemplo, zapatos, cubos, bolitas, etc.

b) De sus juguetes escoge aquellos de los cuales solo tiene uno, por ejemplo el triciclo, el reloj, etc., muéstrale cada uno diciéndole "Tú tienes UN triciclo, UN reloj, etc.".

c) Ahora reúne el grupo de objetos (carros, bolas, cubos, etc.) con aquel del cual tiene únicamente uno y dile: "Tú tienes MUCHOS carros y UN reloj; tú tienes MUCHOS cubos y UNA bicicleta".

3. OBJETIVO: ampliar el lenguaje expresivo.

a) Repite cada vez que te sea posible el ejercicio de socialización, en el cual lo estimulas para que cuente cosas acerca de sí mismo: cómo se llama, si va al jardín, si tiene una mascota que cuente algo sobre ella, qué hace su papá, su mamá, si le gusta el helado de chocolate.

Estimulación cognoscitiva

1. OBJETIVO: reforzar la noción de tamaño.

a) Pídele que se coloque en diferentes posiciones: colócate arriba de la mesa, debajo de la mesa, arriba de la silla, debajo de la silla, etc.

b) Muéstrale en una lámina un objeto que está abajo y otro que está arriba, pídele que identifique la posición.

c) Entónale canciones alusivas a las posiciones arriba-abajo.

2. OBJETIVO: comprender la noción de dirección.

a) Dale papel y lápiz y lleva su mano para hacer líneas verticales y horizontales, pídele que intente él solo, corrige si no lo realiza adecuadamente. Haz lo mismo pero con líneas paralelas.

b) Permite al niño doblar papel libremente. Indícale, luego, cómo doblarlo en forma vertical y cómo hacerlo en forma horizontal, trazando una línea por donde debe ir el doblez.

c) Invita al niño a seguir el contorno de una figura para obtener el dibujo sobre el papel.

d) Pídele que dibuje a papá, mamá, el bebé, etc.

3. OBJETIVO: reforzar el reconocimiento de las formas geométricas.

a) Preséntale una lámina con figuras geométricas claras: círculo, triángulo, cuadrado; después pídele que busque las figuras geométricas que tú le vayas mencionando en una lámina donde haya otros objetos distintos.

b) Hazle el dibujo de una casa y otro objeto donde puedan verse figuras geométricas, delinea cada una con un color diferente; señala una a una y repítele cómo se llama. Luego pídele que él solo busque el cuadrado, el triángulo, etc., en el dibujo.

c) Dale una caja con las diferentes figuras geométricas (puedes hacerlas de cartón o de madera), solicítale que te alcance la que tú indistintamente le vayas pidiendo.

Ilustración No. 31

4. OBJETIVO: intensificar la noción de círculo.

a) Pídele que siga con sus dedos el contorno de objetos redondos, por ejemplo, una tapa, una pelota, etc.(Ilustración No. 31).

b) Muéstrale en una revista diferentes objetos que tienen forma de círculo, las ruedas de la bicicleta, la tapa de un frasco, un aro.

c) Muéstrale con diferentes juguetes cómo los objetos redondos pueden rodar.

d) Haz un círculo en el suelo y pídele que camine alrededor de él, mientras tú le vas diciendo que ese es un círculo y su forma es redonda.(Ilustración No. 32).

e) Pon en una caja objetos de diferentes formas, cuadradas, triangulares, etc., solicítale que localice los de forma redonda o circular.

Ilustración No. 32

Estimulación socio-afectiva

1. OBJETIVO: incentivar el control de esfínteres rectales durante el día.

a) Lleva durante una o dos semanas un registro de observación de las horas en que espontáneamente el niño defeca. Una vez hecho este registro, podrás conducirlo al sanitario en las horas en que normalmente defeca, déjalo cinco o diez minutos sentado en la taza, durante los cuales lo acompañarás y entretendrás conversándole. Si logra hacerlo deberás alabarlo, si no, no le dirás nada. Tratarás de que el niño no esté durante este tiempo con juguetes y que siempre vaya al mismo sanitario para que lo asocie con la actividad de defecar.

2. OBJETIVO: enseñar al niño a reconocer sus emociones.

a) Si el niño te hace una pataleta dile, "estás bravo". Si llora porque el padre se va, "estás triste porque el papi se va". Si se emociona con algo que a él le gusta, "te gusta mucho".

b) Igualmente estimula al niño para que exprese a los demás lo que piensa y siente, por ejemplo, "te quiero abuelita"; "no quiero ir al parque"; responde sus preguntas de manera clara y concreta y ayúdale a formularlas bien si no le entiendes lo que te pregunta.

3. OBJETIVO: estimular el desarrollo de destrezas sociales.

a) Propicia el juego con otros niños, proporciónale juguetes y otros elementos que favorezcan la estructuración de situaciones diferentes.

b) Si el niño tiene pequeñas dificultades cuando juega con otros no intervengas, a no ser que sea estrictamente necesario, déjalo que él las enfrente e intente solucionarlas, así irá desarrollando su autonomía y confianza en su propia capacidad.

c) Cuando frente a algunas situaciones reacciona de manera no adecuada, muéstrale otras formas más asertivas de responder a la misma situación. Por ejemplo, si le da "rabia" porque otro niño le quitó el carro, muéstrale cómo puede pedirlo sin necesidad de hacer pataleta.

d) Cuando sepas que tu hijo va a estar reunido con otros niños, trata de que lleve consigo algunos de sus juguetes, para que al encontrarse con ellos se vea en la necesidad de compartir sus experiencias. Al principio se negará, después, con el interés que tendrá en los juguetes de sus compañeros, le irá importando cada vez menos y hasta se alegrará de que sus juguetes diviertan otros niños.

Programación Semanal de Estimulación ● Mes Veintitrés

Días / *Areas de estimulación*	*Lunes*	*Martes*	*Miércoles*	*Jueves*	*Viernes*	*Sábado*
Estimulación motriz	1a; 2a; 3c; 3d; 3a; según la oportunidad	2b; 2c; 3c; 3e	1a; 2c; 3b; 3d	2a; 2c; 3b; 3e	1a; 2b; 2c; 3c; 3d	2a; 3c; 3e
Estimulación cognoscitiva	1a; 2a; 3a; 4a	1b; 2b; 3b; 4b	1c; 2c; 3c; 4c	1d; 2d; 3c; 4d	1b; 2a; 3b; 4a	1c; 2d; 3c; 4c
Estimulación del lenguaje	2a; 3a; 1a; según la oportunidad	2b	2c	2a	3b; 3a	2c; 3a
Estimulación socio-afectiva	1a; 2a; 3b; 3c; 3d; según la oportunidad	3a		3a	3a	

Nota: Esta programación es sólo una guía, ya que muchos de estos ejercicios el niño los realizará espontáneamente en sus actividades diarias.

En esta programación aparecen ejercicios que se sugieren realices todos los días ya que corresponden a la estimulación de hábitos y rutina, que sólo pueden ser aprendidos mediante la repetición frecuente, los cuales aparecerán en el cuadro bajo la denominación "según la oportunidad".

Resumen del Mes Veintitrés

Peso	*Medida*	*Desarrollo motor*	*Desarrollo cognoscitivo*	*Desarrollo del lenguaje*	*Desarrollo socio-afectivo*	*Juguetes*
Niño 12.5 kg Niña 11.5 kg	88 cm 85 cm	Baja y sube escaleras por sí solo, aunque aún lo hace apoyando los dos pies por cada escalón. Puede doblar intencionalmente una hoja de papel. Le quita la envoltura a un dulce o a un regalo. Puede desvestirse casi completamente por sí solo. El garabateo tiene un estilo definido.	Su creatividad e imaginación son muy activas. Reconoce los objetos al tacto, así como la mayoría de las figuras geométricas. Arma torres de seis a siete cubos y los apila verticalmente. Entiende al tiempo, tres o cuatro órdenes sencillas.	Utiliza dos o tres frases seguidas: "pon allí, no tengo zapatos". Identifica otras personas por su nombre. Su vocabulario ha aumentado en 20 a 25 palabras nuevas, pronunciadas correctamente.	Es más independiente, pero al tiempo demanda atención, cuidado y afecto. Puede controlar esfínteres de acuerdo con el entrenamiento previo que haya tenido. Se expresa de manera egocéntrica: "Juan quita saco", "Juan quiere helado".	Cubos. Instrumentos de percusión. Títeres y marionetas. Collages. Fichero de imágenes. Fichero de color. Figuras geométricas. Puentes, túneles. Botones, cremalleras. Cordones. Plastilina, barro, arcilla. Cajas de cartón de diferentes tamaños. Pinceles. Objetos redondos. Fotos familiares. Fotos de niños. Juguetes para encajar.

Registro de Evaluación Mensual

Semanas / *Areas de desarrollo y estimulación*	*Primera*	*Segunda*	*Tercera*	*Cuarta*
Desarrollo y estimulación motriz				
Desarrollo y estimulación cognoscitiva				
Desarrollo y estimulación del lenguaje				
Desarrollo y estimulación socio-afectiva				

Anotaciones para el próximo mes:

Mes Veinticuatro

Características de desarrollo

Desarrollo motor

La soltura y seguridad al subir y bajar nos asombrará, al igual que su equilibrio y coordinación en todas las formas de locomoción. Esto lo ha conseguido gracias a toda su intensa actividad motora que ha desplegado durante el año que ha transcurrido, llegando así a un dominio y fortaleza muscular adecuados. Podrá saltar con los dos pies juntos y prácticamente sin moverse del mismo sitio. Sabrá recibir y devolver la pelota que le viene con regular precisión. Coloca en práctica los rebotes y carambolas detrás y debajo de los muebles.

En su caminar ha sincronizado brazos y piernas, pero aún sin flexibilidad. Logrará ponerse en un solo pie pero con ayuda.

La actividad de punzar necesitará de aquí en adelante de mucha ejercitación para lograr una buena precisión. Pero sí es capaz de pasar de una en una las hojas delgadas de un libro, ensartar cuentas pequeñas y moldear en círculo la plastilina, interesándose por los pinceles pero sin poderlos utilizar bien todavía.

Imitará, según el ejemplo, los trazos circulares y en *V*. Se quitará y pondrá los zapatos que estén desatados, colocará las manos dentro de las mangas y se colocará, no del todo bien, las medias.

Desarrollo cognoscitivo

Las nociones de tiempo y espacio, como la de pasado, son incipientes y están interiorizadas en él, mas no así la de futuro que necesitará un poco más de tiempo para conseguirla.

Arma torres de seis y siete cubos y alinea más de veinte; reconoce la mayoría de las partes de su cuerpo y ubica, aunque no del todo, las partes del cuerpo de otras personas. Nombra dos objetos de cuatro que se muestren, así su comprensión del lenguaje avanza y se consolida.

Gran parte de los objetos los concibe como fuentes de acciones, al tiempo que puede prever lo que va a suceder en relación con las suyas.

Su creatividad espera ser explorada al máximo, ya que si antes se decía que era alguien en movimiento perpetuo, ahora se puede decir que si se le brindan los elementos necesarios para el aprendizaje será una personita de pensar constante.

Desarrollo del lenguaje

La estructuración y complejidad del lenguaje le permiten comunicarse con una adecuada perfección, se llama a sí mismo correctamente por su nombre, designa a las personas de un retrato y llama a los animales por su nombre. Dice frases de tres o cuatro palabras y comienza a utilizar los posesivos y los pronombres.

Desarrollo socio-afectivo

Puede comer por sí solo, se lava y seca las manos por sí mismo y establece fácil y abiertamente relaciones con personas extrañas para él. Esto en contraposición con su creciente egocentrismo, ya que en todo momento está diciendo yo quiero, yo pongo, etcétera.

El juego con otros niños de su edad aún se limita a compartir el mismo espacio de juego con ellos y en ciertos momentos los juguetes, aunque no muy ampliamente. A pesar de que ya expresa su deseo de estar rodeado o acompañado de niños, bien sea de su edad o un poco mayores.

Se mantiene aún en la contradicción de ser totalmente independiente, pero a la vez dependiente. En ocasiones se mostrará y necesitará estar muy unido con sus padres.

Se desvestirá por sí solo y esto lo encuentra placentero, así que se iniciará el juego de mamá me viste, yo me desvisto.

No posee aún la conciencia de peligro; se ha demostrado que esta es la edad de los envenenamientos, ya que las madres se confían en su autonomía y consideran que ya sabe diferenciar entre lo que se puede consumir y lo que no.

Como se expresaba anteriormente, de acuerdo con el entrenamiento podrá ya avisar cuando quiere ir al baño para orinar y en algunos casos para defecar.

Intervención general

Al culminar este mes tu hijo arribará a un nuevo año de vida en el que verás los resultados de toda la dedicación y estimulación que le has proporcionado, será ya capaz de llamarte y llamarse por su nombre, saltar en los dos pies, caminar sincronizadamente, pasar las hojas delgadas de un libro, moldear con movimientos circulares la plastilina, armar torres de seis y siete cubos, teniendo nociones de tiempo y de espacio, manejando los conceptos de uno-muchos-arriba-abajo-delante-atrás, etc., su comunicación verbal es casi correcta.

Veremos cómo el niño pasa de lo prohibido a lo realmente peligroso para él, pero no por esto podemos trabar su creatividad al reprimirle sus movimientos, más bien lo que hay es que estar pendiente de sus actuaciones. Los dos años se han denominado como la edad de los envenenamientos, ya que es la etapa en la que los niños con su libertad de movimientos tienen acceso a la mayoría de los cajones y estantes en los que guardamos los medicamentos o los implementos de aseo. Por ello hay que tener especial cuidado en mantener bajo llave estos objetos tan venenosos una vez que ingresan al organismo de los niños. Pues aún el niño explora por medio de su boca y más si es cercana su hora de comidas.

Recuerda todas las precauciones que deben ser tenidas en cuenta si hay una mudanza, invitados a la casa o reparaciones en la misma, pues todo esto genera que uno como madre se encuentre menos alerta en la vigilancia.

Como madres deseamos que nuestros hijos se encuentren todo el tiempo en estado de limpieza y pulcritud, olvidándonos de que el niño en su afán exploratorio se tira al suelo, juega con agua, con arena, y que también por su edad no distingue del todo bien entre lo limpio y lo sucio. Si tú al comprar su ropa no mides estas consecuencias lógicas, llegarás a la conclusión de que para mantener reluciente a tu hijo tendrás que limitar sus movimientos y aprendizajes. Por eso te recomendamos que le tengas vestimentas adecuadas para cada ocasión, para que así él se sienta en libertad de jugar.

Es el momento de confiar en el niño y dejarle pequeñas tareas que él pueda realizar por sí mismo, como ayudar a recoger sus juguetes o beber de una taza por sí solo, ya que con ello adquiere autonomía, orgullo de sí mismo y la aprobación admirativa de sus papás.

La firmeza en los límites deberás emplearla en mantener los ritmos y horarios de comer y dormir, porque si estos son alterados el apetito disminuye, dormirse será más difícil y la fatiga se apodera del niño. Al tiempo que el niño que hace todo lo que quiere y en el momento que quiere se convierte en un niño nervioso, inestable e irritable.

Estimulación directa

Estimulación motriz

1. OBJETIVO: reforzar el manejo del cuerpo.

a) Repite el ejercicio de manejo del triciclo; si aún no ha aprendido, muéstrale cómo se sube a él y ayúdale dándole seguridad. Pídele que apoye las manos en el timón y los pies en los pedales. Trata de que esta actividad tenga alta frecuencia.

b) Pídele al niño, sosteniéndolo de las manos, que camine en puntillas, primero en línea recta y luego en zig-zag, en línea curva, en círculo, en cuadrado y en rectángulo.(Ilustración No. 33).

c) Haz este mismo ejercicio pero solícitale que lo realice en los talones colocándote tu detrás de él. Indícale cómo hacerlo primero y luego hazlo con él tomándolo de las manos.

d) Pídele que camine en línea recta con un objeto en las manos, en la cabeza, luego hacia atrás, hacia los lados, etc.

e) Puedes hacer lo mismo, pero ahora pídele que lo lleve a cabo en línea curva, zig-zag, etc.

f) Solicítale que se desplace en dirección un paso al frente, un paso atrás, un paso al lado.

g) Dile ahora que lo haga en círculo, llévalo tú de la mano primero y luego déjalo que lo intente solo.

Ilustración No. 33

2. OBJETIVO: reforzar el manejo del cuerpo en movimiento.

a) Muéstrale al niño, cada vez que te sea posible, la manera de saltar en un solo lugar. Ahora coge al niño y ayúdalo a saltar, tomándolo de las manos.

b) Invítalo para que lo haga solo, sobre una colchoneta suave.

c) Pídele que salte cada vez que tú das una palmada.

d) Cuando vaya caminando, solicítale que se detenga y levante algo que se encuentre en el suelo, anímalo para que continúe la marcha.

3. OBJETIVO: perfeccionar la coordinación visomotriz.

a) Enséñale cómo se abren las cerraduras de diferente tipo. Inicialmente lleva su mano, pero poco a poco déjalo que él lo vaya haciendo solo.

b) Dale libros con páginas delgadas y estímulalo a que pase rápido y despacio las páginas.

c) Ponle varios recipientes de diferente tamaño con tapa, pídele que tape y destape y que intercambie las tapas.

d) En una hoja de papel hazle varios trazos horizontales de diferente tamaño, luego pídele que trate de imitar cada uno. Haz lo mismo con los trazos verticales.

e) Hazle un modelo de un tren con cubos, pídele que lo desbarate y construya uno igual.

f) Arma con él un rompecabezas de cuatro piezas, solicítale que lo desarme y luego intente hacerlo él solo.

g) Pinta una figura sencilla en un papel, puede ser una pelota, un cuadrado, muéstrale al niño cómo rasgar el contorno de la figura; anímalo para que lo lleve a cabo.

h) En una hoja dibuja varios puntos, muéstrale cómo puntearlos, primero con el lápiz y después con algo más delgado como una pluma. Al comienzo deberás guiar su mano, pero poco a poco podrá hacerlo sólo.(Ilustración No. 34).

Estimulación del lenguaje

1. OBJETIVO: estimular la riqueza en los relatos.

a) Léele cuentos ya un poco más complejos, cada vez que termines un capítulo o un trozo con sentido pregúntale acerca de lo que pasó y también de lo que él cree que pasará, consúltale el nombre de los personajes, las actividades de estos, cuál prefiere, etc.

b) Llévalo a ver películas de niños, y hazle después preguntas sobre lo que vio, pídele, por ejemplo, que le cuente a papá qué le pasó al "ratoncito", o cómo se llamaba el personaje de la película.

2. OBJETIVO: reforzar el uso del plural.

a) Cada vez que vayas con el niño al supermercado, toma de cada producto UNO y MUCHOS alternativamente, por ejemplo, dile "vamos a tomar UNA manzana para ti,...pero debemos llevar también para tu hermanita, para papi y para la mamá, para el postre que vamos a hacer, etc., entonces necesitamos MUCHAS manzanas".

3. OBJETIVO: mantener conversaciones.

a) Relátale un cuento corto con personajes conocidos para el niño, pídele que después le narre a su hermana el mismo cuento.

b) Enséñale canciones, versos, y pídele en diversas oportunidades, sin forzarlo, que los repita.

c) Cuando se encuentre con otros niños, estimúlalo para que conversen entre sí.

4. OBJETIVO: incrementar el repertorio de palabras.

a) Háblale con frecuencia de las actividades que tanto tú como las demás personas llevan a cabo; une las palabras con las acciones, por ejemplo si el papá está arreglando el automóvil, invítalo a ver esta actividad y nómbrale cada una de las acciones que él está realizando.

Estimulación cognoscitiva

1. OBJETIVO: estimular el reconocimiento.

a) Cada vez que alguien se asome al espejo, pregúntale el nombre de la persona que ve allí.

Ilustración No. 34

b) Cuando suceda algo, pídele inmediatamente que te diga qué pasó; puedes hacerle preguntas concretas que le ayuden a elaborar mejor el relato.

2. OBJETIVO: reforzar la imitación de acciones no presentes.
a) A manera de juego dile al niño: vamos a almorzar, y haz como si tuvieras el plato y la cuchara; dile, vamos a bañarnos, y haz como si tuvieras la esponja y el jabón y te fueras a restregar el cuerpo. Estimula al niño para que te imite y luego pídele, sin realizar una acción, que el niño lo haga sólo con la orden verbal.

3. OBJETIVO: iniciar la noción de ancho-angosto.
a) Muéstrale correas anchas y correas delgadas; pídele que repita contigo "esta es ANCHA, esta es ANGOSTA".
b) Trázale en el piso caminos angostos y caminos anchos, y solicítale que los recorra.
c) Muéstrale diferentes superficies anchas y angostas y pídele al niño que escoja alternativamente.

4. OBJETIVO: discriminar por color y tamaño.
a) Dale una caja con cubos de diferentes tamaños y de diversos colores. Pídele que saque todos los cubos grandes y luego que los organice por colores, a un lado los cubos rojos, al otro los verdes, etcétera.
b) Muéstrale varias tarjetas de diferentes tamaños y colores, solícitale que te pase una a una, de acuerdo con su color y tamaño; dame la tarjeta pequeña roja, dame la grande verde, etc.
c) Pídele que siga con sus dedos el contorno de un objeto redondo, muéstrale diferentes objetos que tienen forma de círculo, las ruedas de la bicicleta, la tapa de un frasco, un aro. Enséñale cómo esos objetos redondos pueden rodar.
d) Haz un círculo en el suelo y anímalo para que camine alrededor de él, mientras tú le vas diciendo que ese es un círculo y su forma es redonda.
e) Dale para armar rompecabezas sencillos con figuras geométricas: formar el círculo con dos medios círculos, hacer el cuadrado con dos triángulos, el rectángulo.
f) Juega con el niño a identificar, con un modelo, figuras con igual forma, igual color, diversos tamaños del modelo; cambiando, por ejemplo, diferente color, igual tamaño y distinta forma que el modelo.

5. OBJETIVO: iniciar la noción de lleno-vacío.
a) Muéstrale al niño varios recipientes llenos con diferentes elementos, por ejemplo cajitas llenas de granos (arveja, lenteja, garbanzo, etc.), repite con él, esta caja, tarro, o vaso, están LLENOS; vacía los contenidos y pídele que él mismo los llene. Dile, ahora está LLENO; luego motívalo a completar la frase:"la caja está..." Haz lo mismo para enseñar el concepto de VACIO.
b) Haz que el niño llene vasijas con agua y luego que la cambie a otros vasos o que se la tome para entender cuándo está lleno el vaso y cuándo está vacío.

6. OBJETIVO: discriminar los objetos según su peso.
a) Presenta al niño diferentes juguetes livianos y pesados para que se familiarice con su peso.
b) Haz un juego en el cual el niño deba caminar cargando objetos de diferente peso y pueda sentir la diferencia entre uno y otro.

c) Pon en el piso varios juguetes, solicítale al niño que te dé uno pesado y otro liviano.
d) Pídele que nombre todos los objetos pesados y livianos que vea en su cuarto.

Estimulación socio-afectiva

1. OBJETIVO: estimular el desarrollo de la socialización.
a) Facilita el juego frecuente con otros niños con el fin de enseñarle al niño el mundo que existe fuera de su núcleo familiar.

2. OBJETIVO: afianzar sus vínculos familiares.
a) Continúa mostrándole fotografías recientes y antiguas de su familia, y ampliándole la noción de que ésta se compone de muchos miembros; puedes hablarle de los abuelos, bisabuelos, primos, tíos.
b) Cuéntale cómo la familia va creciendo, y se van estableciendo nuevos vínculos; explícale, por ejemplo, que la esposa de tu hermano es tu cuñada y también pertenece a la familia, etc.
c) Pídele que dibuje al papá, la mamá, el hermano. Hazle preguntas acerca del dibujo.

3. OBJETIVO: mantener los hábitos.
a) Ponle pequeñas tareas relacionadas con los hábitos, a esta edad el niño ya puede comer solo, lavarse y secarse las manos por sí mismo. Colócale sobre la mesa, al desayuno, por ejemplo, la compota y la galleta y dile que si él te puede hacer el favor de tomarlo solo, porque tú debes hacer otra cosa; alaba el resultado, así no sea el mejor. Haz lo mismo para otros hábitos con el fin de desarrollar su independencia.
b) Juega con el niño a lavarte los dientes, a vestirse y desvestirse, a comer todo lo que le sirven solo, a lavarse muy bien las manos. Haz estos ejercicios con una frecuencia diaria, ya que el establecimiento de hábitos requiere ser reforzado continuamente.

Programación Semanal de Estimulación • Mes Veinticuatro

Días / *Areas de estimulación*	*Lunes*	*Martes*	*Miércoles*	*Jueves*	*Viernes*	*Sábado*
Estimulación motriz	1a; 2a; 2g	1b; 1h; 2b; 2h	1c; 1a; 2c; 2a	1a; 1b; 2d; 2b	1e; 1d; 2e	1f; 1g; 2f; 2h
Estimulación cognoscitiva	1a; 1b; según la oportunidad 3a; 4a; 5a	2a; 4b; 5b; 6a	3a; 4c; 5a; 6b	2a; 4d; 5b; 6c	3a; 4e; 5a; 6d	2d; 4f; 5b; 6c
Estimulación del lenguaje	1a; 3a; 2a; según la oportunidad	3a	1a; 3b		1a; 3b	1b; 3b
Estimulación socio-afectiva	1a; 2b; 3a;	2a; 3b	1a; 2c; 3a	2a; 3b	1a; 2c; 3a	1a; 3b

Nota: Esta programación es sólo una guía, ya que muchos de estos ejercicios el niño los realizará espontáneamente en sus actividades diarias.

En esta programación aparecen ejercicios que se sugieren realices todos los días ya que corresponden a la estimulación de hábitos y rutina, que sólo pueden ser aprendidos mediante la repetición frecuente, los cuales aparecerán en el cuadro bajo la denominación "según la oportunidad".

Resumen del Mes Veinticuatro

Peso	*Medida*	*Desarrollo motor*	*Desarrollo cognoscitivo*	*Desarrollo del lenguaje*	*Desarrollo socio-afectivo*	*Juguetes*
Niño 13 kg Niña 12 kg	89 cm. 86 cm.	Tiene una gran soltura al subir y bajar. Buen equilibrio en todos sus movimientos. Salta con los pies juntos. Sabe recibir y devolver la pelota. Monta carrito de arrastrar con los pies con gran habilidad. Se para en un solo pie con ayuda.	Tiene incipientes nociones de tiempo y espacio. Arma torres de seis o siete cubos y alinea más de 20. Reconoce la mayoría de las partes de su cuerpo. Nombra dos objetos de cuatro que se le muestren. Concibe los objetos como fuentes de acciones.	Avanza y consolida la comprensión del lenguaje. Se llama a sí mismo correctamente por su nombre. Así como a las personas y a los animales. Dice frases de tres o cuatro palabras. Comienza a usar posesivos y pronombres.	Come por sí solo, igualmente se viste y desviste casi completamente sin ayuda. Establece fácilmente relaciones con personas extrañas a él. El juego con otros niños aun se limita a compartir el mismo espacio y sólo a veces los juguetes. Continúa la contradicción entre ser independiente y dependiente. Puede iniciar el control de los esfínteres rectales.	Cubos. Instrumentos de percusión. Títeres, marionetas. Collages. Fichero de imágenes. Fichero de colores. Figuras geométricas. Puentes. Túneles. Botones. Cremalleras. Cordones. Plastilina. Barro. Arcilla. Cajas de cartón de diferentes tamaños. Fotos familiares.

Registro de Evaluación Mensual

Semanas / *Areas de desarrollo y estimulación*	*Primera*	*Segunda*	*Tercera*	*Cuarta*
Desarrollo y estimulación motriz				
Desarrollo y estimulación cognoscitiva				
Desarrollo y estimulación del lenguaje				
Desarrollo y estimulación socio-afectiva				

Anotaciones para el próximo mes:

Tercer año de vida

El inicio de un nuevo año de vida en el niño representa para los padres, y en especial para las madres, un sinfín de preguntas que muchas veces necesitan una intensa investigación por su parte para llegar a las respuestas adecuadas. Entre esas preguntas estarán las dudas que nos acecharon desde su nacimiento, pero ya sin tanta tensión, porque estos dos años nos han aportado algo que sólo la experiencia puede darnos: tranquilidad para resolver cualquier situación nueva que se nos presente con nuestros hijos.

Entre las preguntas por realizar están, entre otras, las siguientes: cómo continuará y cómo podré seguir estimulando el desarrollo en cada uno de los aspectos: motor, del lenguaje, cognoscitivo y social.

El presente esquema por áreas pretende ser una respuesta a las inquietudes, ya que da una idea acerca de cómo seguirá el desarrollo evolutivo en tu hijo.

Comencemos entonces por el área MOTORA. Encontramos que ya es capaz de caminar armoniosamente y con elegancia, saltando con los dos pies juntos, de dos o más peldaños y de alturas de más de 30 centímetros; asiéndose para subir, únicamente cuando él lo considera necesario; puede permanecer parado en un solo pie por un mayor tiempo; en resumen, su motricidad gruesa ya posee casi todo el equilibrio y la coordinación necesarios para que avance en el desarrollo total.

La motricidad fina es un área que requiere especial interés ya que de aquí dependerá su destreza en la preescritura, por ello es necesario prepararlo para que posea al finalizar el año un buen dominio muscular y una buena coordinación de los movimientos de la mano, la muñeca, el antebrazo y el brazo; además de una buena coordinación viso-motriz, es decir, que la capacidad de manejar la mano le permita realizar los ejercicios de acuerdo con el o los modelos que anteriormente ha visto y así plasmarlos en una superficie de papel, tablero, etc., para finalmente ver la relación que hay entre lo que realizó y lo que vio.

Para estimular el desarrollo en esta área puedes seguir ejecutando los ejercicios descritos en los meses anteriores, teniendo en cuenta que el niño requiere de un espacio físico mayor y de elementos como columpios, areneras, rodaderos, túneles, etc., para poder desarrollar su motricidad gruesa. En cuanto a su motricidad fina puedes igualmente retomar los ejercicios y añadir otros o variar su intensidad de acuerdo con los avances en su desarrollo. Ejercicios tales como la pintura, enseñándole a utilizar correctamente las crayolas, los lápices, el lapicero, el borrador, etc.; el punzar o el punteo, en un principio guía su mano, permítele punzar libremente para luego sí pasar al punteo de modelo. En la actividad de recortar comienza por enseñarle a utilizar las tijeras; en la de enhebrar, pasa de un cordel y agujeros anchos a uno angosto. Moldear en plastilina, barro, arcilla, etc., notarás cómo de moldear pasará también a ser capaz de efectuar agujeros entre las masas y de realizar flanes o tortas con estas masas. No olvides hacer bolas y rasgar con el papel.

Pero hay que enunciar avances que se producen en esta área como son el poder dibujar un círculo y en cruz, el colorear sin salirse de la línea, utilizar el tenedor y pinchar o agarrar los alimentos con el mismo.

En el área COGNOSCITIVA los avances son muy importantes, entiende todas aquellas palabras que le indiquen relaciones espaciales, lo que demuestra que comprende y ha asimilado cada una de ellas como son: delante-detrás, grande-pequeño, gordo-delgado, alto-bajo, rápido-despacio, largo-corto, dentro-fuera, ancho-angosto, lleno-vacío. Reforzar con ejercicios que impliquen el manejo de cada una de estas relaciones espaciales le ayudará a afianzarlas más en su esquema mental. Como por ejemplo: Andrés, lleva los brazos hacia arriba-hacia abajo, etcétera. Distingue ya su propio esquema corporal, añadiendo a éste el reconocimiento de las rodillas, los codos, las uñas, sus órganos genitales y las mejillas. Identificándolos en otras personas y en fotografías o ilustraciones del cuerpo humano. Las nociones de lateralidad (izquierda y derecha) se estimulan con ejercicios sencillos, como por ejemplo: ahora vamos a colocar todos estos juguetes hacia el lado derecho, con tu mano derecha es que agarras la cuchara, etc. Las nociones de día y de noche se han interiorizado del todo, ya es capaz de predecir que después del desayuno irá al colegio y que después de la comida se irá a dormir, en contraste la noción de futuro existe aún vagamente para él, este es entendido en términos de: después de tu cumpleaños nacerá tu hermanito; en las vacaciones veremos a tus abuelos, etc.

Los rompecabezas de más de seis piezas le serán de fácil entendimiento, de la misma manera construirá torres de más de diez cubos y armará trenes y torres cada vez más complejas. Identifica todas las figuras geométricas. Reconocerá los colores primarios, lo que le facilitará el conocimiento de los demás, en este caso los juegos de láminas para aparear según el color serán de gran utilidad.

Si lo entrenas o estimulas podrá reconocer ciertas monedas y billetes, sin precisar el valor que tenga cada uno de ellos. Al tiempo que podrá identificar los números hasta el tres y en ocasiones hasta el cinco. El juego con bloques de madera para construir torres te servirá para iniciarlo en la comprensión de los conceptos matemáticos de más-menos-uno-dos-igual, etc. Por ejemplo: Andrés, necesito más bloques para hacer este tren; Andrés, con dos bloques más terminamos el faro.

Esta etapa, como la anterior, se caracteriza por la persistencia del pensamiento mágico, en el cual no existen fronteras entre la realidad y la fantasía, por eso su amigo imaginario o muñeco preferido pueden realizar todo aquello que para él está prohibido, es a quien el niño regañará por no haber avisado que quería ir al baño, etc. Esto será superado por él mediante la experimentación con la vida cotidiana, experimentación que hará gracias al juego de estimulación, hasta llegar a poner límites entre la fantasía y la realidad.

El ensanchamiento del área cognoscitiva lo seguirá llevando a cabo mediante el ensayo de varias posibilidades para conseguir un solo fin, aunque conozca la forma correcta de realizarlo.

El área del LENGUAJE presenta los avances propios de la edad, como son el perfeccionamiento en las emisiones de los sonidos y la complejidad en las frases. Hacia finales de año deberá expresarse casi correctamente, aunque aún le quedarán algunos sonidos para perfeccionar y errores gramaticales por corregir.

La utilización de verbos, posesivos y plurales irá en aumento de acuerdo con la estimulación que se le dé, la cual deberá ir dirigida a que el niño sienta la necesidad de expresarse por medio del lenguaje hablado, en este sentido es importante preguntarle acerca de lo que está sucediendo, cuando te pida algo alárgale un poco más la frase, como por ejemplo, cuando te diga, ponme los zapatos, entonces tú le contestarás: tú quieres que te ponga los zapatos para salir a jugar con tus amiguitos.

Verás en esta etapa cómo rápidamente nos encontraremos con un niño que realiza constantemente preguntas acerca del porqué de las cosas, en ocasiones te fatigarás de estar todo el tiempo explicando cada una de las acciones que sucedan; para evitar esto podrás ser tú quien le pregunte: Andrés, está lloviendo, por eso no puedes salir, porque si sales te enfermas,¿qué te da cuando te mojas? El deberá decirte: gripa. También estamos frente a una personita que no sólo pregunta, sino que a la vez está tratando de darte explicaciones sobre todo lo que sucede, este momento debe ser aprovechado por ti para hacer las correcciones que consideres pertinentes y demostrarle que te interesan sus experiencias y de esta manera estrechar por medio del lenguaje hablado las relaciones afectivas.

Es un niño que nos sorprenderá en ocasiones con preguntas sobre temas que realmente suponíamos que aún no había interiorizado y con respuestas que consideramos algo complejas para su edad.

Cantará, con entonación, trozos de canciones, y te dirá su nombre y apellido cuando se lo preguntes. Todo esto le es posible gracias a que ha aprendido a utilizar frases con palabras descriptivas, como por ejemplo: esta casa es muy linda, no había visto una parecida.

En el área SOCIOAFECTIVA, como en las demás, notarás progresos significativos, él mismo será quien te indique su deseo de asistir al colegio para allí estar con otros niños de su edad y compartir e intercambiar, por medio del juego en grupo con ellos, sus experiencias. Será capaz de comprender que todo juego en grupo tiene unas normas establecidas y que deben ser respetadas por él, como por ejemplo: esperar a que le llegue su turno para tirar la pelota.

Esto lo convierte en un ser más independiente de su madre y de su núcleo familiar, aprendiendo que existen también otros adultos en los cuales podrá confiar, como su profesora, el conductor del bus de la escuela, etc., pero igualmente ávido de demostraciones de afecto, por parte de ellos.

Su egocentrismo y egoísmo se reducen a medida que sea entrenado para ello, enseñándolo a compartir todas sus pertenencias y respetando las de los demás.

Vestirse y desvestirse se convierten en una tarea agradable para él, la cual no puede imaginar sin su participación, por eso aunque esto te haga un poco más demorada estas sesiones es importante que le asignes algunas tareas como el colocarse las medias y los zapatos, peinarse, etc.

Se suele decir que a los tres años el niño hace crisis, esta debe ser entendida como el deseo del mismo de identificarse con los adultos oponiéndose a ellos. Es en este momento en el cual realmente comienza a apreciarse la personalidad del niño, por eso es tan importante que en esta etapa como en las anteriores trates más bien de mediar con el niño en lugar de colocarte en un abierto enfrentamiento con él.

Recuerda que el niño entiende como los adultos con las razones y explicaciones del caso; de esta manera evitarás formar un niño rebelde, hacedor de su voluntad todo el tiempo y persistente en sus errores.

También hacia finales de año algunos niños denotan preferencia por un muñeco en especial, al cual le coloca nombre y con el que desea estar todo el tiempo, hablándole y en ocasiones prohibiéndole que realice aquello que para él tampoco está permitido; o serás sorprendida cuando al preguntar quién esparció las galletas por el suelo, el niño te conteste que fue el muñeco. Esto es algo pasajero, por lo cual no deberás preocuparte, ya que así como llegó se irá.

En cuanto al control de esfínteres, al inicio muchos niños aún requerirán enseñanza para retener la orina y la defecación y para hacerlo en el lugar adecuado, pero felizmente lo terminarás con un niño que ya tiene un total dominio sobre ello. Pasará del pañal al pantaloncito. Al final del año verás cómo se despierta en el niño una cierta curiosidad sexual, esto te lo manifestará mediante las preguntas: yo, cómo llegué; o cómo llegará mi hermanito.

Te recomendamos finalmente, para poner en práctica la estimulación del desarrollo de cada una de estas áreas, que es importante que escuches a tu hijo, le hables y juegues con él el tiempo que lo requiera y todo el que le puedas proporcionar. Pues la comprensión del mundo él todavía la llevará a cabo mediante las experiencias reales y su aprendizaje aún se basa en sus experiencias sensoriales.

¡Felicitaciones!

Nuevamente hemos llegado al final de otro año de vida de tu hijo, el segundo año, el cual también constituye una etapa de grandes logros y avances expresados básicamente en el perfeccionamiento de sus movimientos, la adquisición del lenguaje, la exploración de la creatividad y el aprendizaje de nuevos conocimientos, así como también la apertura a otras interacciones que sobrepasan el núcleo familiar.

Estamos seguras de que habrás aprovechado al máximo todos aquellos momentos de estrecha relación con el niño para ayudarle a explorar sus capacidades y habilidades, haciendo de él un ser creativo, imaginativo y recursivo; que por medio del afecto y el juego ha logrado conocer el entorno que le rodea, y alcanzar seguridad e independencia para afrontar el mundo que apenas se muestra ante él.

La realización del programa de Estimulación temprana durante estos dos años ha establecido de manera agradable y gratificante una rutina de descubrimiento y de aprendizaje que le permitirá llegar a su próxima etapa, caracterizada por el lenguaje verbal claro, que utilizará para realizar preguntas sobre el porqué de las cosas, dar y pedir explicaciones, modelar y conjugar palabras, emplear asertivamente posesivos y plurales.

En lo que tiene que ver con el área cognoscitiva en el niño, se intensifica su iniciativa, expresa una voluntad propia y tiene ideas que nos sorprenden, es imaginativo, original, usa el pensamiento mágico en el que la fantasía y la realidad son, a veces, una misma dimensión para él.

Pasará entonces de ser el bebé a ser un niño grande, que dejará sus pañales por sus pantalones, que inclusive querrá ir a la escuela; es inquieto y juguetón aun en sus labores rutinarias: jugará al bañarlo, al darle de comer, al vestirlo, etc.

En el área motriz se prepara para la preescritura mediante el desarrollo de las destrezas viso-motrices y manuales, al tiempo que la lateralidad, el equilibrio y el manejo espacial del cuerpo se consolidan.

La rutina alcanzada mediante este programa los ha convertido a los dos en personas creativas para quienes cada encuentro, además de reforzar los lazos afectivos, les permite explorar al máximo el mundo que les rodea.

Por el camino recorrido y por el que vendrá en compañía de tu hijo: FELICITACIONES.

Glosario

AUTOESTIMA: Proceso por el cual el ser humano realiza un juicio personal de valor que se expresa en las actitudes del individuo respecto de sí mismo.

COMPORTAMIENTO: Se define como la conducta o la manera de actuar, el cual sirve para indicar la respuesta que emite un ser humano ante un determinado estímulo.

COORDINACION PERCEPTIVO-MOTORA: Proceso a través del cual los organismos entienden su medio ambiente valiéndose de sus sentidos y en este caso de los movimientos.

COORDINACION VISO MANUAL: Es la destreza que alcanza el ser humano para poder llevar a cabo funciones que requieren de la coordinación visual y manual al mismo tiempo.

CREATIVIDAD: Actitud del ser humano ante el mundo, caracterizada por la capacidad de descubrir nuevas relaciones, modificar acertadamente las normas establecidas, hallar nuevas soluciones a los problemas y enfrentarse positivamente a las situaciones.

DESARROLLO: Es el proceso evolutivo de cambio a través del cual se adquieren nuevas funciones y se aumentan las facultades ya existentes. Tiene lugar de una manera integral: por lo tanto, cada área es igualmente importante y requiere un funcionamiento armónico y coordinado. Estas áreas son las siguientes:

- MOTOR/MOTRIZ: Está relacionado con el desarrollo del conjunto de funciones que permiten los movimientos.
- COGNOSCITIVA: Proceso a través del cual evoluciona y se expresa el área intelectual y del conocimiento.
- LENGUAJE: Desarrollo de la facultad humana de comunicarse por medio de signos verbales.
- VISUAL: Está relacionado con el desarrollo del sentido de la visión.
- AUDITIVA: Está relacionado con el sentido de la audición.
- TACTIL: Está relacionado con el desarrollo del sentido del tacto, a través del cual se percibe la aspereza o suavidad, dureza o maleabilidad, etc., de las cosas.
- SOCIO-AFECTIVA: Desarrollo emocional que tiene lugar en las interacciones que el niño establece con el medio que le rodea.

DESARROLLO EMOCIONAL: Proceso que tiene que ver con las emociones; evolutivo, subjetivo y complejo que puede ser inducido por estímulos ambientales y por medio de variables fisiológicas; puede tener la capacidad de estimular un individuo a la acción.

EGOCENTRISMO: Incapacidad de ánimo de un ser humano para ponerse en lugar de otros, y por lo mismo se centra en sí mismo. Es un estadio natural en el desarrollo psicológico del niño que no sabe aún distinguir lo que le pertenece a la personalidad de los demás y lo que le pertenece a su propia personalidad.

ENTORNO: Ambiente que rodea a todo individuo.

ESTIMULACION TEMPRANA: Es un proceso natural, que la madre pone en práctica en su relación diaria con el niño, estimulando cada una de las áreas que intervienen en el proceso de desarrollo del niño gracias a actividades, juegos y ejercicios. A través de este proceso, el infante irá ejerciendo mayor control sobre el mundo que le rodea, ensanchando su potencial de aprendizaje, al tiempo que sentirá gran satisfacción al descubrir que puede hacer las cosas por sí mismo.

ESTIMULO: Es todo agente capaz de provocar reacciones.

INTERIORIZACION: Proceso por el cual los seres humanos se apropian, llevando a su interior los aprendizajes y experiencias que le posibilitan después la acción de los mismos.

MEMORIA VISUAL: Es considerada como una serie o sucesión de objetos registrados visualmente, que sin estar presentes se pueden reconstruir en la memoria.

MODULACION: Hace referencia a la variación de los modos en el habla o en el canto, dando con afinación, facilidad y suavidad los tonos correspondientes.

MOTRICIDAD FINA: La habilidad de realizar los movimientos adaptativos que impliquen en especial los músculos de la mano.

MOTRICIDAD GRUESA: La habilidad de realizar los movimientos adaptativos de los músculos de las piernas, brazos y en general de todo el cuerpo, permitiéndole correr, saltar, trepar, etc.

PERSONALIDAD: Expresa la totalidad de un individuo, tal como aparece a los demás y a sí mismo en su unidad y singularidad. Definiéndose como el modo habitual de reaccionar o como los procesos de ajustes por medio de los cuales cada individuo hace frente a las exigencias de su medio.

PROCESO DEL PENSAMIENTO: Es el desarrollo evolutivo del pensamiento, el cual ocurre a partir de las percepciones y de la manipulación y la combinación de pensamientos aislados; abarcando las actividades mentales ordenadas y desordenadas, al tiempo que describe las cogniciones que tienen lugar durante el juicio, la elección, la resolución de problemas, la originalidad, la creatividad, la fantasía y los sueños. Son entonces los procesos cognitivos los que diferencian al hombre de los animales.

REFUERZO: Se define como la recompensa que recibe un individuo, cuando emite un comportamiento adecuado o esperado.

SISTEMA FONETICO: Hace referencia a la construcción de un conjunto de los sonidos de un idioma, aplicable a todo alfabeto o escritura cuyos elementos o letras representan un sonido, de cuya combinación resultan las palabras.

VOCALIZACION: Articular con la debida distinción las vocales, consonantes y sílabas de las palabras para hacer plenamente inteligible lo que se habla o se canta.

Bibliografía

Alvarez H., Francisco, M.D. *Estimulación temprana una puerta hacia el futuro.* Editorial Gaceta Ltda., Bogotá, D.E., 1989.

Atkin, Lucille; Super Vielle, Teresa; Sawyer, Ron; Canton, Patricia. *Paso a paso cómo evaluar el crecimiento y desarrollo de los niños.* Editores Fundación Ford - UNICEF. México, 1987.

Bautista C., Carmen Lucy. *Desarrollo del niño menor de 7 años.* Universidad Santo Tomás. Bogotá, D.C.

Cabrera, Ma. del Rosario; Sánchez Palacios, Concepción. *La estimulación precoz, un enfoque práctico.* Siglo XXI de España, Editores S.A. Madrid, 1975.

Carter, Margaret; Shapiro, Jean. *El libro del bebé.* Ediciones Lerner. Bogotá, 1988.

Comellas Carbo, Ma. Jesús; Perpinya Torregrosa, Anna. *La psicomotricidad en preescolar.* Ediciones CEAC. Barcelona, España. 1987.

Downey, Ana Rosa; Soltanovich, Adela. *Manual de ejercitación psicomotora postural.* I.C.B.F. Editorial Galdoc.

Educación hoy. "Perspectivas latinoamericanas. La estimulación temprana. La educación en la cuna". Asociación de Publicaciones Educativas.

Gribben, Trish. *Lo que su hijo realmente necesita.* Editorial Pomaire. Barcelona, España. 1981

Koch, Jaroslav. *Super bebé.* Editorial Printer Colombiana Ltda. Bogotá, 1990.

Lira, Ma. Isabel. *Segundo año de vida.* Manuales de estimulación. Editorial Galdoc. Buenos Aires, Argentina. 1983.

Ministerio de Salud Pública. Dirección de atención médica. División Materno Infantil. *Manual para la supervisión de crecimiento y desarrollo del niño menor de 4 años.* Versión preliminar. Bogotá, 1974.

Ministerio de Salud Pública. Dirección de atención médica. *Manual para el médico. Crecimiento y desarrollo del menor de 5 años.* Bogotá, 1981.

Oppenheim, Joanne F. *Los juegos infantiles.* Ediciones Lerner. Bogotá, 1990.

Ortiz, Nelson. *Guía para estimular el desarrollo del niño de 0 a 3 años.* Sección de Divulgación de la División de Comunicaciones. I.C.B.F.

Rodríguez, Soledad; Araicibia, Violeta; Undurraga, Consuelo. *Escala de evaluación del desarrollo psicomotor de 0 a 24 meses.* Editorial Galdoc. Santiago de Chile, 1979.

Sarmiento D., María Inés. *Estimulación temprana.* Universidad Santo Tomás. Bogotá, 1990.

UNICEF-PROCEP. *Mi niño de 0 a 6 años.* Programa de estimulación temprana. Editorial Piedra Santa. México D.F., 1982.

Varios. *Ser padres hoy.* Editora Cinco. Bogotá, 1990.

Wallon, Dennis; Wilde, Michele de. *Vuestro hijo de 0 a 6 años.* Editorial Herder S.A., Barcelona, 1980.